A FORÇA DA ORAÇÃO

CB124311

A FORÇA DA ORAÇÃO

CORTESIA DA EDITORA LAROUSSE
VENDA PROIBIDA

LAROUSSE

Título original: *Anytime prayers for everyday people*

Edição original publicada por Warner Books, Nova York, NY, EUA.
Todos os direitos reservados.

Copyright © 2006 by Bordon-Winters LLC
Copyright © 2007 by Larousse do Brasil

DIREÇÃO EDITORIAL Soraia Luana Reis
EDITOR ASSISTENTE Isney Savoy
ASSISTÊNCIA EDITORIAL Leila Toriyama
CONSULTORIA Rev. Eber Cocareli
COORDENAÇÃO/EDIÇÃO Valentina Nunes
TRADUÇÃO Maria Suzete Casellato e Caio Nehring
REVISÃO Agnaldo Alves de Oliveira e Fábio Fonseca Netto
DIAGRAMAÇÃO E PROJETO GRÁFICO Pólen Editorial
CAPA Sart/Dreamaker Brand & Design
GERENTE DE PRODUÇÃO Fernando Borsetti

Dados Internacionais de Catalogação na Publicação (CIP)
(Câmara Brasileira do Livro, SP, Brasil)

A Força da oração / [tradução Maria Suzete Casellato e Caio Nehring]. – São Paulo : Larousse do Brasil, 2007.

Título original: Anytime prayers for everyday people
Bibliografia
ISBN 978-85-7635-217-4

1. Oração – Cristianismo.

07-2079 CDD-248.32

Índices para catálogo sistemático:
1. Oração : Prática religiosa : Cristianismo 248.32

1ª edição brasileira: 2007

Direitos de edição em língua portuguesa, para o Brasil, adquiridos por
Larousse do Brasil Participações Ltda.
Rua Afonso Brás, 473, 16º andar – São Paulo/SP – CEP 04511-011
Tel. (11) 3044-1515 – Fax (11) 3044-3437
E-mail: info@larousse.com.br
Site: www.larousse.com.br

Citações marcadas com ABV são trechos bíblicos citados de A *Bíblia Viva*, Segunda Edição. Copyright © 1981, 2000 by International Bible Society. Publicação autorizada pela Editora.

Citações marcadas com NVI® são trechos bíblicos citados da *Bíblia Sagrada, Nova Versão Internacional*®. Copyright © 1993, 2000 by International Bible Society. Publicação autorizada pela Editora. Todos os direitos reservados mundialmente.

Citações marcadas com NIV® são trechos bíblicos citados da *Holy Bible: New International Version*® (North American Edition)®. Copyright © 1973, 1978, 1984 by International Bible Society. Publicação autorizada por Zondervan Publishing House. Todos os direitos reservados.

Citações marcadas com AMP são trechos bíblicos citados da *The Amplified Bible, Old Testament*, Copyright © 1965, 1987 by Zondervan Corporation, Grand Rapids, Michigan. *New Testament* copyright © 1958, 1987 by the Lockman Foundation, La Habra, Califórnia. Publicação autorizada.

Citações marcadas com CEV são trechos bíblicos citados da *The Contemporary English Version*. Copyright © 1995 by the American Bible Society. Publicação autorizada.

Citações marcadas com KJV são trechos bíblicos citados da Bíblia *King James Version*.

Citações marcadas com NKJV são trechos bíblicos citados da *The Holy Bible, New King James Version*. Copyright © 1979, 1980, 1982 by Thomas Nelson, Inc. Publicação autorizada.

Citações marcadas com MSG são trechos bíblicos citados da *The Message* Copyright © by Eugene H. Peterson, 1993, 1994, 1995, 1996. Publicação autorizada por NavPress Publishing Group.

Citações marcadas com NCV são trechos bíblicos citados da *The Holy Bible, New Century Version*®. Copyright © 1987, 1988, 1991 by Word Publishing. Todos os direitos reservados. Publicação autorizada.

Citações marcadas com NASB são trechos bíblicos citados da *New American Standart Bible*®. Copyright © 1960, 1962, 1963, 1968, 1971, 1972, 1973, 1975, 1977, 1995 by The Lockman Foundation. Publicação autorizada.

Citações marcadas com NLT são trechos bíblicos citados da *The Holy Bible, New Living Translation*. Copyright © 1966. Publicação autorizada por Tyndale House Publishers, Incorporated, Wheaton, Illinois 60189. Todos os direitos reservados.

Citações marcadas com NRSV são trechos bíblicos citados da *The New Revised Standard Version Bible*. Copyright © 1989 by the Division of Christian Education of the National Council of the Churches of Christ in the United States of America. Publicação autorizada. Todos os direitos reservados.

Citações marcadas com RSV são trechos bíblicos citados da *Revised Standard Version, Novo testamento, primeira edição,* Copyright © 1946, Novo testamento, segunda edição, Copyright © 1971 by the Division of Christian Education of the Churches of Christ in the United States of América. Publicação autorizada.

Citações marcadas com TLB são trechos bíblicos citados da *The Holy Bible, The Living Bible Translation*. Copyright © 1971. Publicação autorizada por Tyndale House Publishers, Incorporated, Wheaton, Illinois 60189. Todos os direitos reservados.

SUMÁRIO

Orações de Louvor e Agradecimento

Ergo minha voz para Deus por quem Ele é e pelo que Ele fez por mim

Quando eu quero agradecer a Deus por Seu gênio criador... 14
Quando eu quero agradecer a Deus por Sua fidelidade... 16
Quando eu quero agradecer a Deus por Sua generosidade... 18
Quando eu quero agradecer a Deus por Sua alegria... 20
Quando eu quero agradecer a Deus por Sua paciência... 22
Quando eu quero agradecer a Deus por Sua paz... 24
Quando eu quero agradecer a Deus por Sua presença... 26
Quando eu quero agradecer a Deus por Sua proteção... 28
Quando eu quero agradecer a Deus por Sua sabedoria... 30

Orações de Súplica

Ergo minha voz para Deus quando preciso de ajuda

Quando eu estou com raiva... 34
Quando eu estou ansioso... 36
Quando eu preciso mudar de atitude... 38
Quando eu preciso de ajuda para pagar minhas contas... 40
Quando eu estou cheio de preocupações... 42
Quando eu tenho de lidar com a mudança... 44
Quando eu estou confuso... 46
Quando eu estou lutando contra a depressão... 48
Quando eu me sinto infeliz... 50
Quando eu estou vivendo a dor do divórcio... 52

Quando eu estou sendo fustigado pelos inimigos... 54
Quando eu experimento um fracasso... 56
Quando eu preciso de fé... 58
Quando eu estou lidando com o medo... 60
Quando eu preciso reconhecer meus talentos... 62
Quando eu preciso ir em busca dos meus objetivos... 64
Quando eu estou triste... 66
Quando eu preciso de orientação... 68
Quando eu estou buscando a felicidade... 70
Quando eu preciso de cura física... 72
Quando eu preciso de cura emocional... 74
Quando eu me sinto impotente... 76
Quando eu preciso de esperança... 78
Quando eu preciso de um emprego... 80
Quando eu me sinto solitário... 82
Quando eu sofro uma perda... 84
Quando meu casamento está com problemas... 86
Quando eu busco um sentido para a minha vida... 88
Quando eu preciso de um milagre... 90
Quando eu preciso de paciência... 92
Quando eu preciso de paz... 94
Quando eu estou sofrendo perseguição... 96
Quando eu preciso de proteção... 98
Quando eu não consigo dormir... 100
Quando eu preciso de força... 102
Quando eu estou enfrentado a tentação... 104
Quando eu preciso de sabedoria... 106
Quando eu tenho preocupações no trabalho... 108

Orações de Reconciliação

Ergo minha voz para Deus quando eu preciso de perdão

Quando faço escolhas erradas... 112
Quando deixo de cumprir minha palavra... 114
Quando me inclino à mentira e ao engano... 116
Quando sou orgulhoso e arrogante... 118
Quando negligencio minhas responsabilidades... 120

Orações de Intercessão

Ergo minha voz para Deus para orar pelos outros

Orações para meus filhos

Quando meu filho está lutando contra o vício... 124

Quando meu filho está em perigo... 126

Quando meu filho precisa de cura emocional... 128

Quando meu filho precisa de cura física... 130

Quando meu filho está com problemas na escola... 132

Orações para meu cônjuge

Quando meu cônjuge precisa de orientação... 134

Quando meu cônjuge precisa de cura física... 136

Quando meu cônjuge precisa de um emprego... 138

Quando meu cônjuge é infiel... 140

Quando meu cônjuge enfrenta problemas no trabalho... 142

Orações para meus amigos e familiares

Quando meus amigos ou familiares estão lutando contra o vício... 144

Quando meus amigos ou familiares estão com problemas financeiros... 146

Quando meus amigos ou familiares estão passando por uma grande tristeza... 148

Quando meus amigos ou familiares precisam de cura física... 150

Orações pelo mundo à minha volta:

Quando meu chefe precisa da proteção de Deus... 152

Quando eu vejo injustiças no mundo ao meu redor... 154

Quando meu país precisa de orientação e liderança... 156

Quando eu encontro um necessitado... 158

INTRODUÇÃO

Deus quer conhecer você... e quer que você O conheça. Esse é um relacionamento em que Ele se dá por inteiro. Isso surpreende você? Pois não deveria. Você é uma criatura muito amada por Deus, criada à sua imagem e semelhança. É natural que Ele queira se comunicar com você, e a oração é o meio que Ele escolheu para fazer isso.

Infelizmente, muitas pessoas se deixam intimidar pela idéia de orar. Deus parece tão grandioso, tão poderoso. Por que Ele se importaria com a nossa vida tão insignificante? Por que Ele quereria ouvir os nossos problemas ou dar atenção aos nossos pedidos de socorro?

As respostas a essas perguntas estão muito além do nosso entendimento, mas, quaisquer que sejam Suas razões, a Bíblia afirma que Ele realmente se importa conosco, nos ouve e nos responde.

A *Força da Oração* contém orações de pessoas comuns que, como cada um de nós, vivem altos e baixos. E esperamos que, ao acompanhar as orações deste livro, você sinta o toque amoroso de Deus em sua vida.

Ó Pai misericordioso, ao nos curvarmos
Diante do Seu trono, hoje...
Podemos contar as muitas bênçãos
Que o Senhor derramou sobre o nosso caminho.
Autor desconhecido

Orações de Louvor e Agradecimento

Ergo minha voz para Deus por quem Ele é e pelo que Ele fez por mim

Quando eu quero agradecer a Deus por Seu gênio criador...

No princípio Deus criou o céu e a terra.
GÊNESIS 1:1 NKJV

Mediante a palavra do Senhor foram feitos os céus,
e todas as galáxias de estrelas. Ele fez os oceanos,
e colocou-os em vastos reservatórios.
Que todos – homens, mulheres e crianças –
temam e respeitem o Senhor.
SALMO 33:6-8 TLB

Só o Senhor é Deus. O Senhor fez os céus e as estrelas,
a terra e os mares, e tudo que há neles.
O Senhor dá vida a tudo e as legiões celestes o adoram.
NEEMIAS 9:6 NIV*

Olhem para o céu. Quem criou todas as estrelas?
Ele as comanda, chamando cada uma por seu nome.
E ele as conta para certificar-se de que nenhuma
se perdeu ou desviou do caminho.
ISAÍAS 40:26 NLT

...eu faço uma oração.

Pai admirável,

Hoje eu me sentei na varanda de casa para admirar o nascer do sol e não pude evitar – mergulhei em sua magnífica tela celeste de vermelhos vibrantes, laranjas reluzentes e amarelos inundados de sol. Como é emocionante contemplar esse admirável presente e pensar que o Senhor o criou para nosso deleite!

Obrigado por este novo dia e pela oportunidade de refletir como o Senhor é maravilhoso e admirável por ter criado tudo o que existe pela simples ação de Seu pensamento. Como posso testemunhar tudo isso e não acreditar que o Senhor é o Criador?

É um privilégio visitar essa magnífica galeria de arte ao ar livre sem ter de sair de casa. Uma névoa suave se espalha sobre tudo, fundindo as montanhas majestosas a distância e as colinas mais próximas com seus matizes avermelhados. Seu toque artístico se manifesta também na delicadeza das flores e das plantas que se abrem para o sol e se inebriam com as pequenas gotas de orvalho da manhã.

Ajude-me a sempre me apegar à alegria e à esperança que me invadem neste momento em saber que o Senhor criou tudo isso para o meu contentamento. O Senhor é um Deus maravilhoso.

Amém.

A criatividade é o atributo fundamental de Deus,
assim como a sua unicidade.

Hermann Cohen

Quando eu quero agradecer a Deus por Sua fidelidade...

Mesmo quando estivermos fracos e não nos reste nenhuma fé, ele continua fiel para conosco e nos ajudará, pois não pode repudiar-nos, porque somos parte dele mesmo. E ele sempre cumprirá suas promessas a nós.
2 TIMÓTEO 2:13 ABV

Diante do teu templo eu me prostrarei e darei graças ao teu nome, por teu amor e tua fidelidade; pois as tuas promessas são cumpridas pela honra do teu nome.
SALMO 138:2 TLB

Todos os caminhos do Senhor são amor e fidelidade para os que cumprem os preceitos da tua aliança.
SALMO 25:10 NVI

O teu amor, Senhor, chega até os céus; a tua fidelidade até as nuvens.
SALMO 36:5 NVI

...eu faço uma oração.

Pai fiel,

Eu costumava pensar que poderia contar com os outros homens para me ajudarem nos momentos difíceis da minha vida, mas ultimamente o Senhor tem me mostrado que é o único em quem posso realmente confiar. Toda vez que me sinto sozinho, frustrado, desanimado, fraco ou cansado, posso contar com Seu auxílio para me confortar e me dar coragem.

Mais que ninguém o Senhor me conhece e entende as minhas lutas, e está sempre por perto para me encorajar! Eu busco o Senhor agora, pois o Senhor é o único que pode me valer neste momento de provação.

Às vezes eu me sinto tão abatido, que tudo o que consigo fazer é fechar os olhos e sussurrar Seu nome. E então eu imagino Seus braços me envolvendo como um quente cobertor, que me acalma e me dá segurança. Ninguém mais está aqui comigo – senão o Senhor... sempre presente, amando-me todos os dias de minha vida.

E, Senhor, eu quero confiar também minha família e meus amigos aos Seus cuidados. Eu sei que eles me amam, mas são apenas humanos. Eles às vezes falham comigo, como eu falho com eles. O Senhor é o único imutável em nosso meio. O Senhor é fiel para sempre.

Amém.

O investimento de Deus em nós é tão grande
que Ele não poderia jamais nos abandonar.

Erwin W. Lutzer

Quando eu quero agradecer a Deus por Sua generosidade...

Àquele que pode fazer imensamente mais do
que pedimos ou imaginamos, através do seu poder
que age em nós, a ele seja dada a glória.
EFÉSIOS 3:20-21 NIV*

Abres a tua mão e satisfazes o desejo de todos os seres vivos.
SALMO 145-16 NVI

Luz e proteção é Deus, generoso em bênçãos e glória.
Ele não é mesquinho com seus companheiros de viagem.
SALMO 84:11 MSG

Esplendor e beleza proclamam seus feitos;
sua generosidade nunca cessa.
Seus milagres são seu memorial.
SALMO 111:3-4 MSG

...eu faço uma oração.

Deus magnânimo,

Como posso olhar para minha vida e não ser grato por tudo o que o Senhor me dá? Eu não me refiro a bens materiais, embora seja grato por todas essas bênçãos. Eu me refiro ao modo admirável como o Senhor me ajuda a encarar cada dia.

Quando preciso de paciência, eu a encontro no Senhor. Quando preciso de coragem, eu O busco e o Senhor está disponível. Quando preciso de esperança, alegria, fé... o Senhor se faz presente. O Senhor está sempre por perto, para me dar o que eu preciso para enfrentar cada dia com dignidade.

Algumas pessoas dizem que o Senhor está sendo generoso demais comigo! Eu sei que, no que diz respeito a Deus, nada é exagerado, mas de certa forma isso é verdade. O Senhor me concede muito mais do que eu poderia imaginar e muito mais do que eu poderia pedir.

Obrigado, Senhor, por abrir Seus braços generosos e presentear-me com tantas bênçãos. Obrigado por suprir cada uma das minhas necessidades. E, para retribuir tanta bondade, ensine-me a ser generoso com os outros. Quero ser semelhante ao Senhor, em todos os sentidos, mas neste em especial... quero ser chamado de "generoso demais", em honra do meu Pai celeste.

Amém.

Acostume-se à idéia inefável de que Deus o ama com uma ternura, uma generosidade e uma intimidade que ultrapassam todas as suas expectativas.

Abade Henri de Tourville

Quando eu quero agradecer a Deus por Sua alegria...

Aclamem o Senhor com alegria, todos da terra.
Adorem o Senhor com júbilo;
apresentem-se a ele com cânticos alegres.
Salmo 100:1-2 NIV*

Então você terá grande alegria, dada pelo Senhor, terá orgulho do seu Deus, o Santo de Israel.
Isaías, 41:16 ABV

Estamos orando... para que vocês sejam preenchidos pela força gloriosa e poderosa do Senhor, para que possam prosseguir, não importa o que aconteça – sempre cheios da alegria do Senhor.
Colossenses 1:11 TLB

O Senhor me dará a conhecer o caminho da vida;
a presença do Senhor é cheia de alegria.
Salmo 16:11 NASB

Estejam sempre cheios de alegria no Senhor.
Direi novamente, estejam cheios de alegria
Filipenses 4:4 NCV

...eu faço uma oração.

Pai glorioso,

Eu hoje acordei entoando um canto de louvor que ouvi ontem no rádio. Fiquei com isso na mente, porque me lembro de tê-lo ouvido também em meus sonhos, esta noite. Que modo maravilhoso de começar o dia! Não importa o quão cansado, irritado ou magoado eu me sinta ao acordar, louvá-Lo por meio de um canto, supera qualquer dor ou irritação que eu possa estar sentindo.

Há tantos motivos para me alegrar quando penso no Senhor. Saber que na Sua presença encontro orientação e paz, faz-me sorrir de gratidão. Seus braços me envolvem e me reconfortam, fazem-me suspirar de contentamento.

Sua alegria celeste se torna visível quando eu ouço o riso de uma criança ou observo os pequeninos pés e mãos de um recém-nascido. Como posso não me alegrar no Senhor quando vejo um esplêndido arco-íris enchendo o céu de cores? Eu sempre valorizei Sua diligência em mostrar-me as alegrias da vida, em especial quanto estou desanimado. O Senhor me dá a alegria de que eu necessito a cada dia. Obrigado pela Sua misericordiosa dádiva.

Amém.

Eu não consigo entender um ar sisudo no rosto
de um cristão. Se Deus é tudo, Ele deve ser alegria.

Joe E. Brown

Quando eu quero agradecer a Deus por Sua paciência...

Ele não está sendo vagaroso com sua volta prometida,
embora por vezes pareça assim. Mas ele está esperando,
pela boa razão de que Ele não quer
que ninguém pereça, e está dando mais tempo
para os pecadores se arrependerem.
2 PEDRO 3:9 NASB

Deus teve piedade de mim, para que
Cristo Jesus pudesse me usar como exemplo de sua
paciência até para com o pior dos pecadores.
1 TIMÓTEO 1:16 NLT

O fruto do Espírito é... a paciência.
GÁLATAS 5:22 NCV

Seja paciente e a autoridade verá que você tem razão;
fale sempre com delicadeza, pois assim você pode
vencer todas as dificuldades.
PROVÉRBIOS 25:15 ABV

A paciência vale mais que o orgulho.
ECLESIASTES, 7:8 ABV

...eu faço uma oração.

Deus Pai,

Como o Senhor faz isso? Como consegue não perder a paciência depois da décima, centésima, milésima vez que eu acabo explodindo e me volto contra o Senhor? Eu devo dizer que explodiria depois da terceira – ou num arroubo de incrível paciência – da quarta vez em que alguém fizesse algo contra mim. E, no entanto, o Senhor continua ao meu lado, amando-me e perdoando-me, como sempre. Isso parece absurdo, mas acho que é divino.

Perdoa-me quando eu testo Sua paciência até o último limite. Eu me coloco novamente em Sua presença. Quero ser agradável ao Senhor, ser obediente à Sua vontade. Eu quero, sim... de verdade. Não que isso transpareça nas minhas ações. Mas perscruta o meu coração, Senhor. Ele é Seu. Observe atentamente e verá nele a Sua marca.

Eu agradeço ao Senhor por Sua imensa paciência, mas eu sei que até mesmo o Senhor tem limites. Ensine-me a ouvir mais atentamente a Sua voz, a obedecer sem demora, sem reservas ou hesitação. E ajude-me a praticar a paciência em minha vida, oferecendo aos outros o que recebo do Senhor gratuitamente.

Amém.

O amor de Deus para com o miserável pecador
é maravilhoso, mas a paciência de Deus com os santos
irascíveis é um mistério ainda mais profundo.

Henry Drummond

Quando eu quero agradecer a Deus por Sua paz...

Ele foi castigado para nós termos paz.
ISAÍAS 53:5 ABV

[Jesus disse] Eu deixo a paz para vocês
— paz de espírito e de coração!
E a paz que eu dou não é frágil como
a paz que o mundo dá.
Por isso não fiquem perturbados nem temerosos.
JOÃO, 14:27 TLB

Seguir o Espírito Santo conduz à vida e à paz.
ROMANOS 8:6 NIV*

Que a paz de coração que vem de Cristo esteja sempre presente no coração e na vida de vocês, pois isto é a responsabilidade e privilégio que vocês têm como membros do seu corpo.
COLOSSENSES 3:15 ABV

Enquanto ainda falavam sobre isso, Jesus ficou de pé entre eles e disse: "A paz esteja com vocês".
LUCAS 24:36 NIV*

...eu faço uma oração.

Meu afável Senhor,

Eu agradeço pela Sua paz. Eu a sinto derramar-se sobre mim neste momento, absorvendo meus problemas, clareando minha mente, abrindo meu coração à Sua divina voz. Eu não sei por que não busquei o Senhor há mais tempo – ando assoberbado por minha grande confusão, eu acho.

Este foi um dia difícil – na verdade, uma semana difícil. Tanta coisa aconteceu. Tantos problemas não resolvidos... Eu me sentia como um tapete velho e surrado até que o Senhor entrou em cena e acalmou a minha angústia. Agora eu me sinto tranqüilo como um plácido e profundo lago na montanha.

Senhor, sei que esta paz não é mérito pessoal. Quando eu me achego ao Senhor e entrego minhas preocupações, o Senhor as toma e então diz: "Eu já tomei conta de tudo. Fique... descanse por um momento em minha presença".

Eu sei que esta paz que estou sentindo foi comprada por um alto preço e, ainda assim, é dada gratuitamente a quem a pedir. Obrigado por permitir que eu a leve comigo ao deixar este lugar sagrado e voltar para o mundo.

Amém.

Deus é um ser tranqüilo que habita uma eternidade serena.
Portanto, deve o teu espírito tornar-se um claro e tranqüilo lago,
onde a luz de Deus possa se espelhar.

Gerhard Tersteegen

Quando eu quero agradecer a Deus por Sua presença...

Ele fez vocês voltarem a ser seus amigos. Ele fez isso por meio da morte do seu próprio corpo humano na cruz, e agora, como resultado, Cristo trouxe vocês à presença do próprio Deus, e vocês permanecem firmes diante dele, nada mais havendo contra vocês.

COLOSSENSES 1:21-22 ABV

Permaneça firme na presença do Senhor, e espere pacientemente que ele aja.

SALMO 37:7 NLT

Tempos maravilhosos de repouso virão da presença do Senhor.

ATOS 3:20 NLT

Dia a dia eu era o seu prazer e me alegrava continuamente com a sua presença.

PROVÉRBIOS 8:30 NVI

Vamos chegar diante de Sua presença com gratidão.

SALMO 95:2 NKJV

...eu faço uma oração.

Pai adorado,

Esta noite é especial. Eu realmente posso sentir Sua presença ao ajoelhar-me aqui, junto à minha cama. Eu até mesmo me surpreendi olhando à minha volta, buscando o Senhor com meu olhar. Isso mostra quão forte é a Sua presença neste aposento, comigo. Gostaria que fosse sempre assim.

Outras vezes eu não consigo de modo algum sentir Sua presença. Mas se não posso contar com minhas sensações, posso contar com outras coisas, como Sua Palavra. A Bíblia diz que o Senhor está sempre junto de mim, quer eu possa senti-Lo, quer não. Eu acredito nisso. Em outros momentos eu O sinto muito perto de mim – não por causa de minhas sensações, mas porque eu vejo como o Senhor age – as circunstâncias mudam, as pessoas se tornam mais flexíveis, milagres acontecem. Nesses momentos, eu sei que o Senhor está vigilante e agindo em meu favor.

Ainda assim, nada se compara a esses extraordinários momentos em que Sua presença parece tangível, tão próxima como minha respiração. Nessas horas eu me sinto totalmente seguro, como se nada pudesse me abalar – nenhum problema, nenhuma tribulação, nenhum pensamento ou sensação negativos. Obrigado, Senhor, por Sua presença constante ao meu redor, na minha vida.

Amém.

Como filho de Deus, você é herdeiro de Seu reino,
do calor, da paz e do poder de Sua presença.

Autor desconhecido

Quando eu quero agradecer a Deus por Sua proteção...

O Senhor ama o justo e não abandona os seus fiéis.
Eles estarão protegidos para sempre.
SALMO 37:28 NIV*

Felizes os que nele se refugiam em busca de proteção.
SALMO 2:12 NCV

Senhor, dai eterna alegria a todos os que confiam em ti. Que eles sempre cantem de alegria porque Tu mesmo lhes dás proteção e segurança! Dá a tua alegria às pessoas que te amam de coração.
SALMO 5:11 ABV

O Senhor dará instruções especiais aos seus anjos para te protegerem em qualquer lugar onde fores.
SALMO 91:11 ABV

...eu faço uma oração.

Oh, meu Deus!

Este mundo é mesmo assustador! Há guerras, enchentes, terremotos, furações, tornados, terroristas, criminosos, doenças, sofrimento e tantos outros males que é difícil até mesmo nomeá-los. Às vezes é aniquilador pensar em tragédias – grandes e pequenas –, e perceber que nada posso fazer para proteger a mim mesmo e àqueles a quem amo.

Quando sinto o pânico assomar, no entanto, é quando eu paro e penso no meu Deus. Não importa o que aconteça, eu sei que o Senhor não descuida dos seus filhos nem por um segundo. O Senhor sabe tudo o que virá e está sempre por perto para nos ajudar em toda tribulação e dificuldade. Saber que o Senhor está vigilante, que Sua mão poderosa me protege – significa mais do que qualquer aparato de segurança.

Afinal, o Senhor protegeu Noé e sua família durante o dilúvio. Livrou Daniel das garras dos leões. E também me ajuda quando eu preciso. Eu compreendo que vivo neste mundo imperfeito, onde acontece de tudo... Mas sei também que o Senhor não me abandona jamais. Mesmo em minhas mais ameaçadoras tribulações ou calamidade, o Senhor estará sempre comigo – amando-me e cuidando de mim.

Amém.

Pela manhã, a oração é a chave que abre para nós
os tesouros misericordiosos e as bênçãos de Deus; à noite,
é a chave que nos encerra sob Sua guarda e proteção.

Jacques Ellul

Quando eu quero agradecer a Deus por Sua sabedoria...

A sabedoria de Deus é profunda, e seu poder é grande.
Jó 9:4 NCV

A sabedoria é como uma árvore cujos frutos
dão vida a quem come; feliz é a pessoa
que sempre come esses frutos!
Provérbios 3:18 ABV

As palavras de Deus são sempre verdadeiras e justas,
não importa quem as questione.
Romanos 3:4 TLB

Ó Senhor, como são variadas as tuas obras!
Tu as fizestes todas com sabedoria; a terra
está cheia das tuas criaturas.
Salmo 104:24 NRSV

Embora traga sofrimento, ele também mostra
compaixão, pois seu amor é grande e fiel. Ele não gosta
de causar sofrimento e tristeza nos homens.
Lamentações 3:32-33 NLT

...eu faço uma oração.

Pai celeste,

Tantas perguntas estão fervilhando em minha mente. Perguntas sem respostas... pelo menos por ora. Por que tantas vidas são destruídas por doenças e desastres naturais, por exemplo? Por que alguns bebês nascem vítimas de deficiências que significarão uma vida mais difícil – e possivelmente abreviada? Por que algumas pessoas acumulam imensas fortunas, enquanto tantas pessoas, entre as mais humildes e amorosas que eu conheço, lutam com problemas financeiros? Eu fiz essas perguntas a algumas pessoas, mas elas não puderam me ajudar. A resposta é sempre: "Só Deus, em sua grande sabedoria, pode dizer!". Então... aqui estou, Senhor. Eu vim direto à fonte!

Talvez o Senhor responda às minhas perguntas agora, talvez eu tenha de chegar ao céu para saber. Ou talvez eu nunca descubra as respostas, mas de uma coisa eu estou certo: por mais inexplicáveis que essas coisas possam me parecer, eu sei que o Senhor é justo e bom, e transforma em bem todas as coisas que, em minha vida, foram feitas para o mal. Afinal, o Senhor não apenas é sábio, é a própria sabedoria personificada. Eu confio, Senhor, e me submeto à Sua sabedoria no que concerne a esses assuntos – quer eu entenda os "porquês", quer não. Mesmo que eu não encontre as respostas, eu confio que o Senhor as tem.

Amém.

Muitos de nós passam a vida orando um pouco, planejando um pouco... esperando, mas nunca estando certos de nada, e secretamente receosos de errar o caminho... Há uma opção melhor. Renegar a própria sabedoria e ficar com a sabedoria de Deus.

A. W. Tozer

Se metade do nosso alento, gasto ao léu
Subisse ao céu como prece e louvor,
Seria nosso canto alegre e fiel
"Ouça o que fez por mim o meu Senhor!"
Garnet Kolling

Orações de Súplica

Ergo minha voz para Deus
quando preciso de ajuda

Quando eu estou com raiva...

A paciência é melhor que a força.
Controlar o seu temperamento é melhor
que conquistar uma cidade.
PROVÉRBIOS 16:32 NCV

Deixe tudo de lado: raiva, ira, malícia,
calúnias e insultos de sua boca.
COLOSSENSES 3:8 NASB

Evite a ira e rejeite a fúria; não se irrite:
isso só leva ao mal.
SALMO 37:8 NVI

Não permita que a ira domine depressa o seu espírito,
pois a ira se aloja no íntimo dos tolos.
ECLESIASTES 7:9 NVI

Entendam isto, meus amados: que sejam todos rápidos
no ouvir, lentos no falar, lentos no irar-se; pois a sua ira
não produz a justiça de Deus.
TIAGO 1:19-20 NRSV

...eu faço uma oração.

Pai justo,

O Senhor sabe como, vez por outra, eu luto para conter minha raiva. Em geral, eu sou bastante equilibrado, mas às vezes conseguem me tirar do sério e, então... BUM!, eu acabo explodindo mesmo. Nessas horas eu penso: Quem é essa pessoa horrível e como ela conseguiu tornar a me dominar desse jeito?

Senhor, eu não quero perder o controle de nenhuma área de minha vida. Tudo o que eu desejo na vida é fazer a Sua vontade. Infelizmente, parece que eu não consigo fazer isso acontecer – não sozinho, pelo menos.

Eu preciso de Sua ajuda. Alerte-me quando eu estiver chegando ao ponto de saturação. Faça com que eu perceba o que está prestes a acontecer antes que seja tarde demais. E então, Senhor, mostre-me como me livrar dessa situação. A Bíblia diz que o Senhor nos livra quando somos tentados, e é exatamente isso que estou pedindo.

Eu sei que uma rota de fuga só funciona quando se está disposto a segui-la. Bem... isso é tudo o que eu posso fazer. Prometer que, se o Senhor me mostrar o caminho da misericórdia, eu o tomarei de bom grado. Obrigado por me ajudar a manter a raiva e a ira longe de minha vida.

Amém.

Quando você estiver com raiva, aprenda a lição da tecnologia; faça sempre a contagem regressiva antes de explodir.

Autor desconhecido

Quando eu estou ansioso...

Quando a ansiedade já me dominava no íntimo, o teu consolo trouxe alívio à minha alma.
SALMO 94:19 NVI

❧

Lancem sobre ele toda a sua ansiedade, porque ele tem cuidado de vocês.
1 PEDRO 5:7 NVI

❧

O coração ansioso deprime o homem, mas uma palavra bondosa o anima.
PROVÉRBIOS 12:25 NRSV

❧

Não se aflijam com nada. Em oração e súplica, em ação de graças, apresentem seus pedidos a Deus; e a paz de Deus, que ultrapassa toda compreensão, guardará seus corações e mentes em Cristo Jesus.
FILIPENSES 4:6-7 NKJV

❧

Que Deus os abençoe ricamente e lhes conceda uma libertação cada vez maior de toda inquietação e temor.
1 PEDRO 1:2 ABV

...eu faço uma oração.

Pai amado,

Irascível, ansioso, nervoso... eu não consigo me concentrar nesta manhã. Cada pequeno detalhe se transforma em um cavalo de batalha, que faz suas piruetas ao redor da minha cabeça. Eu preciso urgentemente de Sua ajuda, Sua paz, Sua calma imperturbável.

Mas eu não sei como chegar a isso. Há noticiários demais, com suas previsões catastróficas; especialistas de toda sorte a me dizer para tomar cuidado com isto, não comer aquilo, ficar longe daquilo outro. Parece não haver um único lugar seguro em todo o planeta. Mesmo na igreja, discutem-se desde os fundos da construção até controvérsias doutrinárias.

Senhor, eu não quero passar a vida sob ansiedade. O mundo é o que é, mas sei que o Senhor pode me conceder a paz, em meio a tudo isso. Neste momento, eu Lhe ofereço todos os meus pensamentos carregados de ansiedade. Eu os deposito a Seus pés. E peço que o Senhor os selecione e me avise quando eu tiver de confrontar algum deles. Até lá, eu vou descansar em Seu amor e cuidados constantes.

Amém.

O mundo dos homens tornou-se tenso, cercado
pela ansiedade. O mundo de Deus é muito diferente:
sempre equilibrado, sereno, ordenado.
Faith Baldwin

Quando eu preciso mudar de atitude...

Uma atitude tranqüila prolonga a vida.
PROVÉRBIOS 14:30 NLT

O Reino de Deus não consiste no que comemos ou bebemos, mas em viver uma vida de bondade, paz e alegria no Espírito Santo. Se você servir Deus com esta atitude, agradará a Deus.
ROMANOS 14:17-18 NVI

Que Deus, que dá paciência e coragem, os ajude a viver em completa harmonia uns com os outros – que vocês tenham a atitude do Cristo uns para com os outros.
ROMANOS 15:5 NLT

...a serem renovados no modo de pensar, e a revestir-se do novo homem. Criado para ser semelhante a Deus em justiça e em santidade provenientes da verdade.
EFÉSIOS 4:23-24 NVI

Pois a palavra de Deus é viva e eficaz... e julga os pensamentos e intenções do coração.
HEBREUS 4:12 NVI

...eu faço uma oração.

Querido Pai,

Minha vida é cheia de interrupções. Parece que não consigo concluir nada antes que alguém ou alguma coisa mude a direção dos meus pensamentos e das minhas ações. Quando acordo, a cada manhã, minha mente está repleta de missões, tarefas e deveres que precisam ser realizados, enquanto eu ainda estou preso ao que não consegui concluir no dia anterior.

Esta manhã eu me surpreendi atacado por um feroz mau humor. Eu não gosto de me sentir assim. E tenho certeza de que isso desagrada ao Senhor – e minha família e meus amigos procuram disfarçar quando isso acontece. Eles logo percebem.

É por isso que esta manhã eu quero reservar um momento para simplesmente colocar-me em Sua presença. Afaste toda a minha irritação e ajude-me a ter uma nova perspectiva – baseada em uma esperança positiva, plena de Deus para o dia de hoje, em lugar da resposta frustrada e negativa de ontem.

Sou grato por Seu auxílio, Senhor. Clareie meus pensamentos e mostre-me como resgatar meu tempo e minhas atitudes, pois eu as ofereço ao Senhor neste momento e por toda a minha vida.

Amém.

Deus... dê-me a liberdade de reconhecer minhas atitudes negativas... mas não a liberdade de reproduzi-las, pois elas são tão destrutivas para mim, como o são para os outros.

Rebecca Manley Pippert

Quando eu preciso de ajuda para pagar minhas contas...

Este mesmo Deus que cuida de mim suprirá todas as suas necessidades por meio de Suas riquezas gloriosas, as quais nos foram dadas em Cristo Jesus.

FILIPENSES 4:19 NLT

Deus pode ajeitar isso para vocês, dando-lhes tudo o que necessitam – e mais ainda – para que não só haja o suficiente para suas próprias necessidades, mas também sobre em abundância para darem prazerosamente aos outros.

2 CORÍNTIOS 9:8 ABV

A mão preguiçosa empobrece, mas a mão diligente enriquece.

PROVÉRBIOS 10:4 RSV

Irás lembrar do Senhor teu Deus, pois é ele quem te dá força para ganhar o teu sustento, para confirmar o pacto com teus pais, como se vê hoje.

DEUTERONÔMIO 8:18 RSV

...eu faço uma oração.

Pai celeste,

Uma vez mais eu estou diante de uma pilha de contas a pagar e um talão de cheques todo comprometido, imaginando de onde vai surgir o dinheiro para pagá-las. O Senhor sabe como trabalhamos duro. Fizemos um orçamento. Cortamos tudo o que era supérfluo, mas isso parece ter piorado as coisas ao invés de ajudar. Precisamos do Seu auxílio.

Pai, eu apelo para a Sua sabedoria. Será que eu preciso de outro emprego? Será que o meu bolso está furado, e eu simplesmente não consigo ver? Com certeza o Senhor não quer que vivamos mês após mês contando os trocados para afastar os cobradores da nossa porta.

A única coisa em que eu consigo pensar é entregar tudo em Suas mãos. Eu coloco a minha mão sobre esta pilha de contas e peço Sua ajuda. Dê-me as respostas de que eu preciso para chegar a bom termo, financeiramente – mesmo que isso implique alguns sacrifícios. Dou-lhe graças, porque o Senhor é o meu fiel provedor.

Amém.

Alegre-se: os pássaros também têm bicos,
mas continuam a cantar.

Autor desconhecido

Quando eu estou cheio de preocupações...

Vou tirar a carga dos teus ombros;
Vou livrar as tuas mãos das pesadas tarefas.
SALMO 81:6 NLT

Quando os cuidados do meu coração são muitos,
as tuas consolações alegram-me a alma.
SALMO 94:19 RSV

Entregue suas preocupações ao Senhor
e ele o sustentará.
SALMO 55:22 NVI

O Senhor tira a carga dos que estão
curvados sob seus fardos.
SALMO 146:8 NLT

Deixem com Ele todas as suas preocupações e cuidados,
pois Ele está sempre pensando em vocês e vigiando tudo
o que se relaciona com vocês.
1 PEDRO 5:7 ABV

...eu faço uma oração.

Meu precioso Senhor,

Da minha janela eu posso ver crianças brincando no quintal ao lado, embebendo-se do ar cálido e do sol brilhante. Eu ainda me lembro dos dias despreocupados da minha infância, com seus prazeres simples – mas tudo isso parece tão distante, agora. Em vez disso, eu me sinto afogar num mar de preocupações: contas a pagar, conflitos de personalidades no trabalho, desentendimentos em família.

Minha vida parece soterrada sob uma avalanche de responsabilidades a serem cumpridas e problemas por resolver. Essas preocupações cobrem-me como um manto, impedindo o sol de chegar ao meu coração lúgubre.

Quero erguer a cabeça de novo. Encha-me com Seu Espírito, Senhor. Ajude-me a arrancar esse manto de tristeza e deixar entrar o sol do Seu amor.

Num ato de fé, eu fecho meus olhos e busco Aquele que me dá a vida e a sustenta. Entrego ao Senhor minhas preocupações, uma a uma, empilhando-as aos Seus pés. O desapontamento no trabalho, o inesperado problema com o carro, minhas juntas que doem, e tudo o mais... até que todo fardo tenha sido transferido para os Seus ombros.

Obrigado, porque o Senhor é o meu Carregador de Fardos.

Amém.

Diga a Deus tudo o que vai em sua alma, como se abre o coração, com seus prazeres e sofrimentos, a um amigo querido. Conte-Lhe os seus problemas, e Ele o confortará.

François Fénelon

Quando eu tenho de lidar com a mudança...

Eu sou o Senhor, eu não mudo.
MALAQUIAS 3:6 KJV

O próprio Senhor seguirá à tua frente; Ele estará contigo; ele não te deixará nem te esquecerá. Não temas e não te preocupes.
DEUTERONÔMIO 31:8 NVC

[Deus disse] "Eu irei à sua frente, limpando e pavimentando o caminho."
ISAÍAS 45:2 MSG

[O Senhor diz] Não se lembre das coisas passadas, nem considere as coisas antigas. Observem, farei uma obra nova, ela está vindo à luz. Vocês ainda não a conhecem? Abrirei um caminho no deserto e rios na terra seca.
ISAÍAS 43:18-19 NKJV

...eu faço uma oração.

Meu querido Deus,

Todos dizem que a mudança é inevitável – uma das grandes constantes da vida – mas eu detesto mudanças. Mesmo as mudanças positivas provocam um nó no meu estômago e enchem minha mente de pensamentos de ansiedade. Por que as coisas não podem ficar como estão?

Certo, eu sei que isso não faz muito sentido, mas eu preciso de uma saída. Por irônico que possa parecer, eu preciso que o Senhor me ajude a mudar. Crie em mim um coração novo, Senhor, um coração que acolha a aventura, aprecie novas formas de fazer as coisas e, acima de tudo – um coração que coloque sua total e irrestrita confiança no Senhor.

Eu entrego em Suas mãos todos os meus medos e receios. Eu sei, ajoelhado aqui diante do Senhor, que Seu único propósito é fazer o bem, e que o Senhor age para meu melhor e eterno interesse. Sustente-me na minha fraqueza e preencha-me com Sua força até que eu não mais recue ao primeiro sinal de mudança, mas acolha-a como uma dádiva do Seu amor. Obrigado por lidar comigo com paciência até que meu desconforto se transforme em uma nova e dilatada área de conforto.

Amém.

Se tentamos resistir à perda e à mudança, apegando-nos a bênçãos e alegrias passadas, que devem ficar para trás, adiamos todas as novas bênçãos que nos aguardam mais adiante.

Hannah Hurnard

Quando eu estou confuso...

[Davi disse] O Senhor é minha luz, ó Senhor;
O Senhor iluminará minha escuridão.
2 Samuel 22:29 NKJV

Que aquele que anda no escuro,
que não tem luz alguma, confie no nome do Senhor
e se apóie em seu Deus.
Isaías 50:10 NIV*

Deus não é um Deus de confusão, mas de paz.
1 Coríntios 14:33 NASB

[A Senhora Sabedoria] ordenou às suas servas que
saiam pelas ruas da cidade levando o seguinte convite:
"Venham à minha casa, pessoas de coração
aberto e sem compreensão da vida!"
Provérbios 9:3-4 ABV

...eu faço uma oração.

Meu Pai celeste,

Minha cabeça está uma balbúrdia – pensamentos desconexos giram como se tivessem sido apanhados por um redemoinho. Eu devia ter vindo procurá-Lo há mais tempo – percebo isso agora. Mas eu pensava que poderia resolver o problema, pôr ordem na bagunça e encontrar um sentido para tudo isso. Por que toda vez eu caio nesse falso raciocínio? Agora o Senhor é minha única esperança. Sei que o Senhor pode dar jeito nisso.

Eu sei que grande parte da minha confusão vem do fato de eu nunca enfrentar as questões. Eu tiro as coisas do lugar e torno a pô-las de volta. Essa deve ser a receita perfeita para um "Ensopado de Pensamentos Fúteis", e desta vez eu fiz o suficiente para um batalhão. Eu fecho os olhos e peço que o Senhor me ajude a isolar cada pensamento e a revisá-lo com o Senhor. Então eu proponho que o Senhor os guarde todos Consigo e os traga à baila quando eu estiver em condições de lidar com eles.

O Senhor é um Deus benigno. É o único que não reclama por eu depender demais de Sua bondade. Na verdade, o Senhor encoraja essa dependência, para os pequenos e os grandes problemas. E eu agradeço por isso, do fundo do meu coração.

Amém.

Os maiores momentos de nossa vida são aqueles
em que Deus, em meio a toda a nossa confusão,
dissipa-a com uma mensagem simples e direta.

Bertha Munro

Quando eu estou lutando contra a depressão...

Apressa-te em responder-me, Senhor!
O meu espírito se abate.
Não escondas de mim o teu rosto,
ou serei como os que descem à cova.
Faze-me ouvir do teu amor leal pela manhã,
pois em ti confio.
Mostra-me o caminho que devo seguir,
pois a ti elevo a minha alma.
SALMO 143:7-8 NVI

A minha alma se consome de tristeza;
fortalece-me conforme a tua promessa.
SALMO 119:28 NVI

Deus, que conforta e encoraja e restaura e alegra os deprimidos e os caídos, nos confortou e encorajou e restaurou e alegrou.
2 CORÍNTIOS 7:6 AMP

Quando as dúvidas enchem minha mente, a sua consolação renova em mim a esperança e a alegria.
SALMO 94:19 NLT

...eu faço uma oração.

Deus Pai,

Tantas coisas aconteceram na minha vida hoje, que me fazem querer desistir. Eu não tenho energia nem mesmo para fazer as coisas básicas como tomar banho e me vestir. Nada parece fazer sentido. Eu menosprezo o meu trabalho. O alimento já não tem sabor para mim. Minha família e meus amigos querem me ajudar, mas o simples pensamento de estar com alguém me aborrece.

Quero que me deixem em paz. Por que eu tenho de me sentir assim? Como pude acordar hoje com tamanha desesperança no coração? Não que eu não tenha tentado afastar essa nuvem negra. Eu tentei, de verdade, mas nada funcionou. Então, eu me lembrei que Jesus morreu na cruz por mim e como Ele deve ter-Se sentido abandonado.

Obrigado, Senhor, por cumular minha vida com Seu conforto revigorador e a tranqüilidade de saber que o Senhor verdadeiramente compreende o meu sofrimento. Eu me volto para o Senhor em busca de esperança e de fé, pois, mesmo que todas as outras pessoas na minha vida desistam de mim, eu sei que o Senhor permanecerá fiel, com um amor que não me abandona jamais.

Obrigado por ser sempre a minha âncora.

Amém.

Quando você chega ao fundo do poço, ali encontra Deus.

Neville Talbot

Quando eu me sinto infeliz...

A piedade com contentamento é grande fonte de lucro.
1 TIMÓTEO 6:6 NVI

Mas, para mim, o que realmente tem valor é chegar diante de ti com a certeza de uma vida justa e correta. Assim, quando eu despertar para outra vida, ficarei feliz ao ver que me tornaste semelhante a ti mesmo!
SALMO 17:15 ABV

[Jesus disse] "Bem-aventurados os que se contentam com aquilo que são – nem mais, nem menos. Esse é o momento em que vocês irão ver-se donos de tudo que não pode ser comprado."
MATEUS 5:5 MSG

[Jesus disse] "Mas aqueles que se acham grandes, sofrerão desapontamentos e humilhação; e aqueles que se humilham serão engrandecidos."
MATEUS 23:12 ABV

Aprendi a contentar-me em qualquer circunstância em que me encontre.
FILIPENSES 4:11 NASB

...eu faço uma oração.

Meu querido Deus,

Ultimamente eu tenho me perguntado por que ando tão infeliz. Nada me motiva ou me inspira. Eu não gosto de me sentir entediado com a vida... principalmente porque Sua Palavra nos diz para nos alegrarmos com todas as coisas e não nos inquietarmos.

Mas como conseguir isso? Com certeza não é olhando para as pessoas à minha volta. Elas estão sempre correndo de um lado para o outro, tentando acumular posses, ganhar dinheiro, recuperar a juventude para satisfazer os seus anseios. Pelo menos eu sei que essas coisas não são a resposta. Eu não quero a receita de alegria que o mundo oferece, Senhor – frágil, temporária, superficial. Eu quero a Sua receita para a paz, não só exterior, mas também interior.

Confiei vezes demais em minha própria capacidade e nos meus talentos para conquistar a felicidade e a alegria. Ajude-me, Senhor, a renunciar aos meus esforços pessoais e a buscar a Sua vontade para a minha vida. Ajude-me a estabelecer novas metas, sabendo que o Senhor estará ao meu lado para me ajudar a levar a cabo os desejos do meu coração.

No fundo, eu sei que uma vida feliz é fruto de um coração feliz e de um sentido para a vida. Faça penetrar, Senhor, em meu coração, os Seus propósitos e ajude-me a encontrar alegria em saber que o Senhor é meu Parceiro em tudo o que realmente tem valor.

Amém.

Um objetivo é o que dá sentido à vida. Um barco à deriva sempre desce o rio.

Charles H. Parkhurst

Quando eu estou vivendo a dor do divórcio...

Ele devolve a alegria aos tristes de coração e cura todas as suas feridas e aflições.
SALMO 147:3 ABV

"Não tenha medo, você nunca será envergonhada. A vergonha que você passou quando era jovem, as tristezas da sua viuvez, serão completamente esquecidas. Você nunca mais será humilhada! Porque o seu Criador será o seu marido. O seu nome é Senhor do Universo. O Santo de Israel é quem vai libertar você; Ele é conhecido como o Deus de toda a terra. Quando o Senhor a chamou de volta, você era como uma mulher abandonada, triste e abatida; como uma jovem abandonada pelo marido. ...Mas agora, com um amor imenso, vou receber você novamente" [diz o seu Deus].
ISAÍAS 54:4-6 ABV

Exultarei com grande alegria por teu amor,
pois viste a minha aflição
e conheceste a angústia da minha alma.
SALMO 31:7 NVI

...eu faço uma oração.

Pai celeste,

Eu não sei o que deu errado em meu casamento. Eu gostaria de ter encontrado uma solução. Há momentos em que me questiono muito. Será que eu deveria ter lutado mais? Desisti muito cedo? O que eu poderia ter feito diferente?

Eu sei que um divórcio não é culpa de um só, mas não quero pôr a culpa em ninguém. Acima de tudo, eu preciso, Senhor, sentir Sua presença, poder e amor em minha vida. Eu sei que o Senhor é minha força, em especial quando sou fraco. Tome minha fraqueza, minha tristeza e meu desapontamento e mostre-me como confiar em Sua força. Cure o meu coração e o coração de todos os que foram atingidos por este divórcio. Entrego ao Senhor o meu sofrimento. Retire toda a amargura alojada no meu coração, substituindo-a pelo perdão.

Senhor, de minha pequenez eu peço pela minha vida. Meu futuro parece incerto. Mas eu tenho confiança de que o Senhor tem um novo caminho para mim – caminho que não saberia escolher ou sequer imaginar. Estou ansioso por recomeçar, tendo o Senhor para guiar o meu caminho.

Amém.

O fracasso e o mal inerentes ao divórcio nos destruiriam,
não fosse o fato de que Deus mantém Sua promessa
e continua a nos amar mesmo quando quebramos
as nossas promessas e o nosso amor fracassa.

William H. Willimon

Quando eu estou sendo fustigado pelos inimigos...

O Senhor preparou-me uma mesa
na presença dos meus inimigos.
SALMO 23:5 NKJV

[O Senhor] me livrou das mãos do meu forte inimigo; salvou-me de quem me odiava, gente mais forte e poderosa que eu. Meus inimigos tinham me atacado de surpresa no dia em que eu estava mais fraco e triste. Apesar disso, o Senhor foi o meu apoio; Ele me sustentou. Ele me salvou porque tem prazer em mim.
SALMO 18:17-19 ABV

Não se aflija nem os tema. O Senhor seu Deus, que vai à sua frente, lutará por você.
DEUTERONÔMIO 1:29-30 NKJV

O Senhor teu Deus irá contigo! Ele lutará por você contra os teus inimigos, e dará a ti vitória!
DEUTERONÔMIO 20:4 NLT

Não se vinguem. ...“A vingança é minha, eu retribuirei”, diz o Senhor.
ROMANOS 12:19 NIV*

...eu faço uma oração.

Meu Deus querido,

Eu me lembro, quando era criança, de ter ouvido um coleguinha de classe dizer a outro que o pai dele era muito forte e que lutaria por ele. Logo se seguiu uma acalorada discussão entre os dois sobre qual dos pais era o mais forte, o mais alto e o mais musculoso. Cada um deles fincava pé nas suas convicções, confiando na força do próprio pai. Eles não chegaram a se enfrentar; ao contrário, deixaram esse desafio para os pais que, eles sabiam, poderiam assumi-lo por eles. Confiar na força dos pais ajudou os garotos a se confrontarem e a transformarem seu medo em coragem.

Às vezes a vida me parece um campo de batalhas. Não é fácil atravessar o território inimigo e encarar as intenções de quem deseja me fustigar, mas eu também sei que não enfrento sozinho os meus inimigos.

Querido Deus, eu sei que os valentões da vida sempre estarão por perto. Quero ter sempre em mente que, não importa o que eles atirem contra mim, o Senhor está do meu lado. Ajude-me a lembrar também que o Senhor está sempre à simples distância de uma oração e disposto a lutar por mim. Obrigado, Senhor, por ser o único herói de que vou precisar na presença de meus inimigos.

Amém.

É infinitamente melhor ter o mundo inteiro a favor dos nossos inimigos e Deus a nosso favor, do que ter o mundo inteiro a nosso favor e Deus por nosso inimigo.

John Brown

Quando eu experimento um fracasso...

O sofrimento continuou até que admiti minha culpa
e confessei a ti o meu pecado. Pensei comigo mesmo:
"Confessarei ao Senhor como desobedecia às suas Leis".
Quando confessei, Tu perdoaste meu terrível pecado.
SALMO 32:5 ABV

Senhor, em ti espero;
tu me responderás, ó Senhor, meu Deus!
Pois eu disse: Não permitas que eles se divirtam à minha
custa nem triunfem sobre mim quando eu tropeçar.
SALMO 38:15-16 NVI

Por causa da minha integridade me sustentas
e me pões na tua presença para sempre.
SALMO 41:12 NVI

Sabemos que todas as coisas trabalham juntas
para o bem daqueles que amam a Deus,
que são chamados segundo o seu propósito.
ROMANOS 8:28 NRSV

...eu faço uma oração.

Meu Deus misericordioso,

Eu estive me lembrando do primeiro bolo que eu fiz – o Senhor sabe, aquele em que me esqueci de colocar o fermento. Como pude esquecer um ingrediente tão importante? Até que ele estava ligeiramente dourado e com um perfume delicioso. Mas nem foi preciso dar uma primeira mordida, todo mundo sabia que o bolo inteiro tinha de ir para o lixo.

Depois desse dia eu tive muitos outros fracassos, Senhor. Mas o de hoje fez com que eu me sentisse muito mal – como no dia do malfadado bolo. Eu já antevia o sucesso. Planejei e executei tudo com muito cuidado. E então, um pequeno descuido pôs tudo a perder.

Ajude-me a lembrar que essa situação é passageira. Dê-me um espírito aberto para que eu possa aprender com os meus erros, o que me ajudará no futuro. Obrigado por me lembrar de que eu fiz muitos bolos maravilhosos depois daquele grande fiasco inicial. Faça-me compreender que o fracasso nunca é uma coisa definitiva.

Amém.

Fracassado não é aquele que tentou fazer algo e não obteve sucesso; é aquele que desistiu antes de tentar; não se trata de uma condição, mas de uma atitude.

Sydney J. Harris

Quando eu preciso de fé...

O que é a fé? É a confiante certeza de que aquilo que esperamos irá acontecer. É a prova de coisas que ainda não podemos ver.
HEBREUS 11:1 NLT

Caminhamos guiados pela fé, não pelo que vemos.
2 CORÍNTIOS 5:7 NASB

[Jesus disse] "Porque se vocês tivessem fé ao menos do tamanho de uma minúscula semente de mostarda, poderiam dizer a esta montanha: 'Saia daqui!' e ela iria para bem longe. Nada seria impossível."
MATEUS 17:20 ABV

A fé que vocês têm cresce cada vez mais, e muito aumenta o amor de todos vocês uns pelos outros.
2 TESSALONICENSES 1:3 NCV

Sei que quem confia em ti nunca será derrotado.
SALMO 25:3 ABV

...eu faço uma oração.

Meu querido Deus,

Sua Palavra me lembra que a fé de uma criança é poderosa. As crianças acreditam sem reservas e sem hesitação. Quando era criança, eu me lembro de pular de um trampolim para os braços abertos do meu pai, sabendo que eu podia confiar: ele me seguraria. Eu preciso outra vez desse tipo de fé, querido Pai – o tipo de fé que confia que o Senhor está vigilante e de braços abertos para me carregar durante esta tribulação.

É fácil louvar o Senhor depois que eu cheguei do outro lado, venci o desafio. Mas o tipo de fé que eu desejo ter é a fé simples da criança que O louva antes de a vitória ter sido conquistada, antes que eu tenha pulado para o desconhecido, antes que eu veja as águas se abrirem e revelar-se o solo seco, antes que eu tenha a prova tangível da sua providência.

Estou me lembrando agora da promessa das Escrituras que diz que, se eu tiver fé do tamanho de um grão de mostarda, posso ordenar às montanhas e elas se moverão. Ajude minha fé a encontrar Sua voz e a louvá-Lo antecipadamente por Sua resposta.

Amém.

Ter fé não quer dizer acreditar sem provas. Significa acreditar em realidades que vão além dos sentidos e da visão – que requerem um tipo totalmente diferente de prova.

John Baillie

Quando eu estou lidando com o medo...

Eu, o Senhor teu Deus, seguro a tua mão direita;
sou eu quem diz "Não temas, eu vou te ajudar".
ISAÍAS 41:13 RSV

Deus não nos deu espírito covarde; deu-nos espírito
de força, de amor e de bom senso.
2 TIMÓTEO 1:7 KJV

Não temas, pois estou contigo, não desanimes,
pois sou o teu Deus; vou fortalecer-te, vou ajudar-te.
Vou erguer-te com minha vitoriosa mão direita.
ISAÍAS 41:10 RSV

[Jesus disse] "Deixo-lhes a paz; a minha paz lhes dou.
Não a dou como o mundo a dá. Não perturbe o seu
coração, nem tenham medo."
JOÃO 14:27 NVI

...eu faço uma oração.

Meu pai celeste,

Eu sinto que estou sendo progressivamente paralisado pelo medo – não apenas em minhas ações, mas em meus pensamentos. Eu sei que o oposto do medo é a fé, mas neste momento minha fé parece impotente, imóvel e presa na lama e na sujeira do que parece ser uma situação sem esperança.

Davi parecia não ter medo algum ao lançar-se contra o gigante Golias. Eu preciso desse tipo de coragem que vence um gigante, que Davi possuía apesar dos seus sentimentos, dos seus medos e da gravidade do desafio que estava para enfrentar. O próprio Golias avaliou sua superioridade e subestimou o tamanho de Davi, rindo no rosto dele pela ingênua tentativa de derrotá-lo. Mas Davi sabia que com o Senhor ao seu lado ele poderia liquidar o gigante.

Pai, dê-me a fé indômita de quem toma a dianteira com toda a coragem. Ajude-me a lembrar que da mesma forma como esteve ao lado de Davi durante a sua batalha, o Senhor está também ao meu lado. E assim não há inimigo invencível, nem mesmo o medo. Obrigado por caminhar a meu lado e adiante de mim em cada batalha, assegurando-me que eu não preciso temer os gigantes da minha vida.

Amém.

O Deus encarnado é o fim do medo; e o coração
que se convence de que Ele está sempre presente...
permanecerá tranqüilo em meio à maior angústia.

F. B. Meyer

Quando eu preciso reconhecer meus talentos...

Foi o próprio Deus quem fez de nós o que somos e nos deu uma vida nova em Cristo Jesus para as boas ações; que Deus preparou de antemão para que as praticássemos
EFÉSIOS 2:10 AMP

Tu criaste o íntimo do meu ser e me teceste no ventre de minha mãe. Eu te louvo porque me fizeste de modo especial e admirável. Tuas obras são maravilhosas, digo isso com convicção.
SALMO 139:13-14 NVI

Cada um de nós recebeu a graça na medida em que Cristo a concedeu. Por isso, é dito: "quando Ele subiu às alturas levando o cativeiro cativo; Ele distribuiu dons aos homens."
EFÉSIOS 4:7-8 NRSV

E eu tenho certeza de que Deus, que começou a boa obra em vocês, continuará ajudando-os a crescer em sua graça até quando sua tarefa em vocês estiver finalmente terminada.
FILIPENSES 1:6 ABV

...eu faço uma oração.

Querido Deus,

Quando um artista apanha um pincel para pintar, uma pincelada de cor coloca seu talento em ação. Uma nota de um hino do salmista faz nascer uma canção e com a primeira palavra transcrita um romancista encontra sua voz.

Querido Deus, eu não sei identificar e determinar os meus talentos, mas estou disposto e desejoso de descobrir os dons que o Senhor colocou dentro de mim e a dar o primeiro passo para desenvolvê-los no melhor da minha capacidade.

Todo talento tem possibilidade de expressão, mesmo que seja pequeno por natureza. Por não compreender isso, eu deixei que meus talentos ficassem adormecidos dentro de mim, achando que eles eram pequenos e inadequados em comparação aos talentos que eu via nos outros. Ajude-me a entender que os meus talentos são uma ferramenta em minhas mãos, que me foi dada pelo Senhor para realizar o meu propósito nesta vida. Ajude-me a perscrutar o tesouro do meu coração e a descobrir a minha paixão... O que me motiva para a ação... O que me move com compaixão... O que surge fácil e naturalmente e flui da minha alma.

Amém.

Deus dá a todo homem a virtude, a têmpera,
o entendimento e o gosto que o eleva à vida, e o faz cair
exatamente no nicho que lhe foi dado preencher.

William Cowper

Quando eu preciso ir em busca dos meus objetivos...

Vocês sabem, numa corrida todos os corredores correm, mas só um conquista o primeiro lugar. Por isso, corram para vencer! Todos aqueles que competem nos jogos usam o autocontrole a fim de ganhar uma coroa. Essa coroa é um objeto terreno e dura pouco tempo, mas a nossa coroa nunca será destruída. Portanto, eu não corro sem objetivo.

1 CORÍNTIOS 9:24-26 NCV

Portanto, também nós, uma vez que estamos rodeados por tão grande nuvem de testemunhas, livremo-nos de tudo o que nos atrapalha e do pecado que nos envolve, e corramos com perseverança a corrida que nos é proposta, tendo os olhos fitos em Jesus, autor e consumador da nossa fé. Ele, pela alegria que lhe fora proposta, suportou a cruz.

HEBREUS 12:1-2 NVI

Escreva claramente a visão em tábuas, para que se leia facilmente. Pois a visão aguarda um tempo designado; ela fala do fim, e não falhará.

HABACUQUE 2:2-3 NVI

...eu faço uma oração.

Querido Deus,

Por um longo tempo, meus objetivos ficaram em segundo plano na minha vida. Talvez eu tenha me convencido de que nunca conseguiria encaixá-los na minha agenda já cheia. Ou... talvez eu tenha me convencido de que, se eu nunca me dispusesse a conquistá-los, eu não teria de me preocupar com a perseverança e a energia que eles exigiriam de mim, ou mesmo com a possibilidade de um fracasso.

Deus, eu admito que tenho usado uma desculpa depois da outra para não perseguir meus objetivos. Desgastei a palavra "algum dia" ao ponto do ridículo. Mas à medida que os dias, meses, anos foram passando, eu percebi que hoje é o "algum dia" de ontem. Se eu realmente pretendo atingir meus objetivos, eu preciso tirá-los do segundo plano e traçar uma estratégia de conquista... começando hoje, começando agora.

Eu sei que tudo é possível quando eu dependo da Sua força e orientação. Peço que o Senhor seja meu Parceiro e me mostre como traçar um plano e um caminho para atingir meus objetivos.

Amém.

Um plano colocado no papel, não se sabe bem por quê, tende a atrair todos os ingredientes necessários para realizá-lo.

Autor desconhecido

Quando eu estou triste...

[O Senhor] foi desprezado e rejeitado pelos homens; um homem sofrido, que conhecia a dor... Ele tomou para si os nossos sofrimentos e carregou as nossas dores.

ISAÍAS 53:3-4 RSV

[Jesus disse] "Em verdade, em verdade lhes digo, que vocês irão chorar e lamentar... mas a sua tristeza será transformada em alegria."

JOÃO 16:20 NASB

Então pensei: "A razão da minha dor é que a mão direita do Altíssimo não age mais. Recordarei os feitos do Senhor; recordarei os teus antigos milagres. Meditarei em todas as tuas obras e considerarei todos os teus feitos.

SALMO 77:10-12 RSV

Tenha misericórdia de mim, Senhor,
pois estou perturbado.
Minha visão está embaçada por causa das lágrimas.
Meu corpo e minha alma definham.

SALMO 31:9 NLT

...eu faço uma oração.

Pai misericordioso,

O que eu faço com esta minha tristeza? Já orei, já chorei, já conversei e não consigo me livrar dela. Não tenho ninguém mais a quem recorrer, senão ao Senhor. Eu li nas Escrituras que Jesus era um homem de dores, que sabia o que é sentir tristeza. É por isso que eu sei que o Senhor entende a profunda agonia e o desespero que me afligem.

Eu busco o Senhor, meu Parceiro, com toda a minha fé, e suplico que ouça os apelos do meu coração magoado e me conforte. Eu dependerei do Senhor cada dia, para me ajudar a dar mais um passo em direção à cura. Restaure minha alma e conduza-me por este vale de sombras. Eu confio no Senhor, gentil Pastor, para me fazer sentir Sua presença. Dê-me a esperança de que eu voltarei a sorrir e a sentir alegria.

Senhor, eu sei que a minha vida nunca mais será a mesma... mas eu me apego a Sua promessa de que um dia eu poderei abraçar a vida que o Senhor me deu.

Amém.

A tristeza pode ser sua serva, ajudando-o a sentir mais compaixão pelo outro que sofre.

Robert Harold Shuller

Quando eu preciso de orientação...

O Senhor diz: "Eu te guiarei ao longo do melhor caminho para a tua vida. Eu te aconselharei e cuidarei de ti".

SALMO 32:8 NLT

Ele me guiou pelos caminhos da justiça, em honra de Seu nome.

SALMO 23-3 KJV

Ensina-me o teu caminho, ó Senhor; guia-me por uma estrada reta.

SALMO 27:11 NVI

Nós humanos sonhamos e fazemos planos, mas o propósito de Deus prevalece.

PROVÉRBIOS 19:21 MSG

Se vocês se desviarem do caminho de Deus, ouvirão, atrás de vocês, uma voz dizendo: Por aí não! Este é o caminho, andem por ele!"

ISAÍAS 30:21 ABV

...eu faço uma oração.

Meu querido Deus,

O caminho à minha frente é muito íngreme, muito árduo, muito escuro e muito incerto. Eu não vou dar mais nem um passo até que o Senhor me mostre a trilha por onde devo seguir. Eu tenho achado meu caminho por entre muitas situações difíceis, mas desta vez é diferente. Como um marinheiro precisa de uma bússola para lhe mostrar o caminho, eu preciso da Sua luz, que me guia e me dá confiança. Ordene os meus pensamentos, Senhor, enquanto eu busco Sua Palavra e então eu ouvirei a Sua voz. Abra o caminho à minha frente e dê-me paciência enquanto eu espero que o Senhor me indique o próximo passo.

Como os alpinistas lentamente escalam a montanha em direção ao seu destino, cuidadosamente firmando os pés em rocha sólida, guie-me, Senhor, a cada passo, à medida que o Seu plano se revela para mim. Somente o Senhor pode tornar meus passos seguros e evitar que meu pé resvale.

Eu coloco a minha vida em Suas mãos, querido Deus, porque o Senhor é a minha luz, meu guia e a rocha sólida em que me abrigo. Não começarei esta jornada até que eu ouça a Sua voz. A espera é difícil, mas eu sei que terá valido a pena.

Amém.

Abraão não conhecia o caminho, mas conhecia o seu Guia.

Lee Roberson

Quando eu estou buscando a felicidade...

Tu me alegras, Senhor, com os teus feitos; as obras das tuas mãos levam-me a cantar de alegria.
SALMO 92:4 NVI

Tu me farás conhecer a vereda da vida, a alegria plena da tua presença, eterno prazer à tua direita.
SALMO16:11 NVI

Provem, e vejam como o Senhor é bom. Como é feliz o homem que nele se refugia!
SALMO 34:8 NLT

Felizes são aqueles que confiam no Senhor.
PROVÉRBIOS 16:20 NRSV

Ó, a alegria de beber da Fonte da Salvação
ISAÍAS 12:3 TLB

...eu faço uma oração.

Meu precioso Senhor,

Às vezes fecho os olhos e sonho como eu gostaria que fosse a minha vida. Eu me pergunto se um carro novo, uma casa nova, um armário cheio de roupas novas ou a mudança para outro local – mais emocionante – tornaria minha vida mais fácil, menos atribulada, mais feliz. Quando abro os olhos, percebo que muitos dos sonhos não passam de impossibilidades – ouro de tolos – que me tentam a acreditar que novos arranjos ou novas posses finalmente me trarão a felicidade que eu busco. Na verdade, não sei ao certo como buscar a felicidade.

Em minha busca por bem-aventurança, ajude-me, Senhor, a ver a diferença entre o que é efêmero e temporário e o tipo de felicidade profunda e duradoura que pode preencher meu coração, apesar das circunstâncias. Ajude-me a definir minha vida pela alegria dos meus relacionamentos significativos e não pelas minhas posses. Mostre-me os tesouros inestimáveis dentro do meu próprio coração, que não podem ser comprados e nem vendidos. Envolva-me na alegria da Sua presença e ensine-me a trilhar esta vida com gratidão e alegria. Só então eu serei verdadeiramente feliz.

Amém.

Deus não pode nos dar felicidade e paz longe dEle, porque ali elas não vão poder estar. Isso não existe.

C. S. Lewis

Quando eu preciso de cura física...

Vocês servirão ao Senhor seu Deus, e ele abençoará o seu pão e a sua água; e eu levarei as enfermidades para longe de vocês.
ÊXODO 23:25 NKJV

Eu sou o Senhor que cura você.
ÊXODO 15:26 NLT

Cura-me, Senhor, e serei curado; salva-me, e serei salvo.
JEREMIAS 17:14 KJV

Na sua aflição, chamaram ao Senhor, e ele os salvou da tribulação em que se encontravam. Ele enviou a sua palavra e os curou.
SALMO 107:19-20 NVI

Ele foi castigado e isso nos tornou completos. Por meio de suas feridas, fomos curados.
ISAÍAS 53:5 MSG

...eu faço uma oração.

Pai de misericórdia,

A vida mudou. A cada momento eu espero ansioso que o Senhor me toque, me cure, me erga deste leito de aflição. Eu admito que estou vulnerável e desesperado pelo Seu toque em meu corpo físico.

À medida que as orações que eu faço por aqueles que eu amo sobem até o Seu trono, eu me sinto grato como nunca pela dádiva da vida. Quando o Senhor morreu na cruz por mim, morreu para que eu pudesse viver. Foi açoitado por aqueles seus algozes, e as chicotadas que o Senhor suportou pagaram o preço da minha cura hoje.

Quando me sinto alquebrado, eu acredito que o Senhor pode me curar. Assim, eu peço: traga, Senhor, integridade ao meu corpo, o templo do Seu Espírito e restaure a minha saúde. Conduza-me às soluções terrenas que me ajudarão a manter-me sadio. Pela fé eu peço ao Senhor que me cure. E agradeço antecipadamente o Seu toque divino.

Amém.

Ninguém busca em vão pelo Grande Médico.

F. F. Bosworth

Quando eu preciso de cura emocional...

O choro pode durar uma noite,
mas a alegria chega ao amanhecer.
SALMO 30:5 KJV

Ele enxugará cada lágrima dos seus olhos; e não haverá mais morte; e não haverá mais tristeza, choro ou dor.
APOCALIPSE 21:4 NASB

Deus abençoa quem ajuda os necessitados...
Quando estiverem doentes, o Senhor estará a seu lado,
cuidando delas com muito carinho.
SALMO 41:1-3 ABV

Ele não quebrará o caniço trincado nem apagará a pequenina chama. Ele dará coragem aos fracos, aos que tendem a desesperar.
ISAÍAS 42:3 TLB

Os que descobrem essas palavras vivem de verdade;
corpo e alma têm abundância de saúde.
PROVÉRBIOS 4:22 MSG

...eu faço uma oração.

Meu querido Pai celeste,

As lentes cor-de-rosa se foram. Eu não posso mais fingir que não estou inconsolável. Eu estou bem física e espiritualmente, porém, emocionalmente, eu me sinto traído. Mas à medida que amadureço na vida, descubro que as emoções são o que nos torna humanos e reais... e também vulneráveis. Sem elas a vida seria muito monótona. Só que é muito difícil sentir-me tão profundamente magoado... e há tanto tempo.

Querido Pai, as emoções são uma criação Sua – tanto as que me fazem sorrir como as que causam sofrimento. Agradeço por me proporcionar um alívio da dor por meio das lágrimas e o toque curativo para o meu coração ferido.

Eu agradeço o fato de o Senhor Se preocupar com minhas feridas e meus desapontamentos. Como primeiro passo de cura, eu entro em Sua sala de emergência e peço que derrame sobre o meu coração ferido o bálsamo do Seu amor.

Amém.

A psicoterapia colocará um curativo sobre a ferida;
mas, para ser curada, a vida do homem tem
de ser transformada de dentro para fora.

Raymond J. Larson

Quando eu me sinto impotente...

Deus fica ao lado dos desamparados; quando eu estava no fim de minhas forças, ele me salvou.

SALMO 116:6 MSG

O Senhor tem sido um abrigo para os indefesos, um refúgio para os necessitados em suas horas de aflição.

ISAÍAS 25:4 NASB

Senhor, lembre-se de mim, que sou pobre e desamparado. O Senhor é meu auxílio e meu salvador. Meu Deus, vem depressa.

SALMO 40:17NCV

Moisés disse ao povo: "Não tenham medo! Fiquem calmos e vejam o livramento que vem do Senhor, ainda hoje".

ÊXODO 14:13 NKJV

O Senhor é minha força e meu escudo; meu coração confia n'Ele, e recebo ajuda; então meu coração exulta, e ofereço a Ele cantos de agradecimento.

SALMO 28:7 NASB

...eu faço uma oração.

Querido Deus,

Eu sempre me orgulhei de ser uma pessoa forte, capaz de enfrentar os problemas com energia e confiança. Mas este problema é diferente. Eu sinto como se tivesse as mãos atadas às costas. E tenho a sensação de que se eu tentar fazer alguma coisa vou acabar mal. Será que esse sentimento de impotência é um sinal para não intervir nesta situação?

Enquanto eu oro para saber o que fazer, eu me lembro das Escrituras que nos dizem para "nos aquietarmos". Essa é uma tarefa difícil para quem está acostumado a tomar a iniciativa de resolver problemas. Ajude-me a entender que permanecer quieto enquanto espero que o Senhor aja não é sinal de impotência, mas sim, de confiança total no Senhor. Como uma lagarta que espera silenciosamente no seu casulo até transformar-se em borboleta, há evolução na inatividade e no silêncio.

Querido Deus, por favor, transforme meu sentimento de impotência em repousante confiança no Senhor, enquanto espero Suas instruções para agir ou permanecer em silêncio.

Amém.

Uma das formas de expressar nossa fé é nossa capacidade de ficar em silêncio, estar disponível e não entrar em pânico ou perder a perspectiva. Deus age mesmo nas mais difíceis circunstâncias.

Tim Hansel

Quando eu preciso de esperança...

Por que ficar triste e agitado, meu coração? Não é preciso! Confie em Deus, pois ainda louvarei o Senhor, o Deus que sempre me ajuda.

SALMO 43:5 ABV

Que o Deus da esperança os encha de alegria e paz na fé, para que vocês tenham abundância de paz pelo poder do Espírito Santo.

ROMANOS 15:13 NASB

Eu teria perdido a coragem se não acreditasse que veria o Senhor na terra dos vivos.

SALMO 27:13 NKJV

Salve-me dos meus inimigos, Deus – o Senhor é minha única esperança!

SALMO 143:9 MSG

...eu faço uma oração.

Deus misericordioso,

No passado, quando não havia resposta para o meu problema e eu não tinha a quem recorrer, o Senhor me trouxe esperança em meu deserto. Lembrando esses momentos de angústia e como o Senhor me ajudou a superá-los, renovo minhas esperanças diante do problema que eu enfrento hoje.

A Bíblia diz que Seus caminhos são insondáveis! Eu jamais poderia imaginar que o Senhor agiria em cada detalhe da provação que eu enfrentava naquela época. Mas o Senhor não faz as coisas pela metade. O Senhor é um Deus de integridade e de plenitude.

Quando conduziu os filhos de Israel pelo deserto, o Senhor foi fiel em prover todas as suas necessidades. Durante o dia, enviava uma nuvem para protegê-los do calor escaldante do deserto e, durante a noite, uma coluna de fogo para iluminá-los e mantê-los aquecidos. O Senhor os alimentava com o alimento perfeito – o pão dos anjos, o maná do céu – a cada manhã. Nenhuma de suas necessidades passou despercebida ao Senhor. Assim como o Senhor proveu o Seu povo com maná fresco e esperança a cada dia no estéril deserto, cada uma das minhas necessidades é banhada com esperança e a promessa da Sua divina providência.

Amém.

Ó Deus, em eras passadas, nosso auxílio
Nos anos por vir, esperança terna
No fragor da tempestade, nosso refúgio
E no céu, morada eterna.

Isaac Watts

Quando eu preciso de um emprego...

Que o ladrão não mais roube, mas deixem-no laborar,
fazendo trabalho honesto com as próprias mãos,
para que ele possa dar aos necessitados.
EFÉSIOS 4:28 RSV

Todo homem que come e bebe vê o fruto do seu trabalho
– é um presente de Deus.
ECLESIASTES 3:13 NASB

Você comerá do fruto do seu trabalho,
e será feliz e próspero.
SALMO 128:2 NVI

Pelo menos uma coisa boa há em tudo isso: é o homem comer e beber bem, aceitar o seu lugar na vida e aproveitar tudo o que conseguir com seu trabalho, enquanto Deus o deixar viver. É claro que também é muito bom se o homem recebeu riquezas do Senhor, e tem boa saúde para aproveitar. Aceitar o seu destino é aproveitar aquilo que ganha – isso é sem dúvida um presente de Deus.
ECLESIASTES 5:18-19 ABV

...eu faço uma oração.

Pai celeste,

Antes mesmo de eu pedir, o Senhor já conhece a minha necessidade de um emprego. E nem mesmo preciso imaginar se é de Sua vontade que eu trabalhe. O Senhor me deu mãos e pés sadios e toda a habilidade de que eu preciso para sustentar financeiramente a mim mesmo e à minha família. Eu não sei como está o mercado de trabalho, nem mesmo se há muitas vagas disponíveis no meu campo de trabalho, mas eu sei que o Senhor vai me conduzir para o emprego que preparou para mim – um emprego que condiz com as minhas necessidades e capacidades físicas, mentais e espirituais.

Eu peço desde já por meus futuros empregadores: que suas necessidades possam ser supridas pelas minhas qualificações e minha associação com eles. Ajude-me a ser uma bênção nesse trabalho que o Senhor tem em mente para mim. Por favor, em Sua providência, reserve para mim um posto de trabalho em que eu possa crescer, prosperar financeiramente e ao mesmo tempo realizar meu potencial, vivendo minha vida conforme a Sua vontade.

Quando as portas se abrirem, orienta-me por qual delas entrar. Confirme Sua providência conduzindo-me ao cargo e local de trabalho ideais.

Amém.

Cada indivíduo tem seu lugar na vida designado pelo Senhor, como uma sentinela em seu posto.

João Calvino

Quando eu me sinto solitário...

Eu estou sempre com o Senhor;
O Senhor segura minha mão direita.
SALMO 73:23 NASB

[Jesus disse] Estou com vocês sempre, até o fim dos tempos.
MATEUS 28:20 RSV

[Jesus disse] Eu já não os chamo de escravos,
porque um senhor não tem confiança em seus escravos;
agora, vocês são meus amigos, e a prova é que
Eu lhes disse tudo o que o Pai me disse.
JOÃO 15:15 ABV

Quando me deito lembro-me de ti. ...A minha alma apega-se a ti; a tua mão direita me sustém.
SALMO 63:6,8 NVI

...eu faço uma oração.

Pai celeste,

Eu olhei para o espelho esta manhã e percebi como eu me sinto solitário. Eu tenho amigos, mas até mesmo em uma sala cheia de pessoas eu às vezes me sinto sozinho. Será que eu construí muros à minha volta, pelo medo de me magoar? De sofrer? Se eu o fiz, por favor, Senhor, ensine-me a destruir esses muros e a permitir que as pessoas participem da minha vida.

Eu certa vez ouvi um antigo ditado: “Se você quer ter um amigo, precisa primeiro aprender a ser amigo”. Pai, eu sei que o Senhor me criou para partilhar meu coração com as outras pessoas. Eu sei que as amizades são um tesouro precioso que necessita ser cultivado. Ajude-me a ser alguém que busca por seus amigos, ao invés de sempre esperar ser procurado. Ajude-me a alimentar minhas amizades, sem preocupar-me se meus esforços serão recompensados.

Eu peço também que eu comece a entender a importância que o conforto e o companheirismo – até mesmo a amizade – desempenham em minha relação com o Senhor. Como posso sentir-me solitário se eu parei para pensar que o Senhor está sempre ao meu lado? Afaste a minha solidão, Senhor, e inunde-me com o Seu amor.

Amém.

Em todo homem há solidão, uma câmara interior
de vida singular que somente Deus pode penetrar.

George MacDonald

Quando eu sofro uma perda...

Deus de todo consolo! Ele nos ajuda quando passamos por momentos difíceis e, antes que possamos perceber, ele nos apresenta alguém que também passa por momentos difíceis para que possamos fazer por essa pessoa o que Deus fez por nós.

2 Coríntios 1:3-4 MSG

Este é o meu consolo na aflição,
a tua palavra me faz viver...
Lembro as tuas ordens do passado,
ó Senhor, e sinto-me confortado.

Salmo 119:50,52 NASB

Misericórdia, Senhor! Estou em desespero! A tristeza me consome a vista. ...Mas eu confio em ti, Senhor, e digo: Tu és o meu Deus. O meu futuro está nas tuas mãos.

Salmo 31:9,14-15 NVI

O Senhor está perto dos que têm o coração quebrantado e salva os de espírito abatido.

Salmo 34:18 NVI

...eu faço uma oração.

Querido Deus da consolação,

Eu estou sentado sobre a pilha de cinzas da minha perda, tentando entender por que isso aconteceu. Tudo caminhava tão bem... Eu acredito que a vida está em Suas mãos, Senhor, e que nada pode me atingir sem o Seu consentimento. Eu sei que o Senhor não causa a perda em nossas vidas, mas permite que elas aconteçam, assim como permitiu que Jó fosse testado por meio de provações e perdas.

Eu nunca vou entender por que o Senhor permitiu isso em minha vida, mas eu quero crer que o Senhor tem um desígnio muito mais elevado do que eu, da minha pequenez, sou capaz de vislumbrar. Minha mãe costumava me dizer, quando eu era criança: "Não adianta chorar sobre o leite derramado". Quando algo foi perdido, está perdido, e chorar não vai trazê-lo de volta. Essas palavras não necessariamente me faziam parar de chorar, naquele tempo, e tampouco impedem minhas lágrimas de adulto, hoje. A perda é sempre muito dolorosa.

Ajude-me a lidar com a perda e console-me com a paz que ultrapassa o meu entendimento. Dê-me forças para encarar o dia de amanhã com esperança no Senhor e no futuro.

Amém.

Nas asas do tempo a tristeza voa embora.

Jean de La Fontaine

Quando meu casamento está com problemas...

Melhor viver só numa humilde cabana que partilhar uma mansão com uma esposa impertinente.
PROVÉRBIOS 25:24 MSG

O marido deve oferecer à esposa o afeto que lhe é de direito, e a esposa deve oferecer o mesmo ao marido.
1 CORÍNTIOS 7:3 NKJV

Eles serão o Meu povo e Eu serei o Deus deles; então vou dar-lhes um só coração e um só caminho, para que Me temam para sempre, para felicidade deles e dos filhos que vierem depois deles.
JEREMIAS 32:38-39 NIV*

Sujeitem-se uns aos outros, por temor a Cristo. Mulheres, sujeitem-se cada uma a seu marido, como ao Senhor, pois o marido é a cabeça da mulher, como também Cristo é a cabeça da Igreja, que é o seu corpo, do qual ele é o Salvador. Assim como a Igreja está sujeita a Cristo, também as mulheres estejam sujeitas em tudo a seus maridos. Maridos, amem cada um a sua mulher, assim como Cristo amou a Igreja e entregou-se por ela.
EFÉSIOS 5:21-25 NVI

...eu faço uma oração.

Querido Deus,

Descobri que o casamento perfeito não existe. Eu aprendi a lidar com as imperfeições, mas há momentos em que me pergunto se meu casamento vai sobreviver aos desafios que estou enfrentando. Se o casamento é um pacto divino, por que é tão difícil evitar que a santidade do amor seja contaminada pela suspeita?

Ajude-me a lembrar-me de quando nos conhecemos... dos maravilhosos atributos que me atraíram para minha companheira. Ajude-me a superar as dificuldades da convivência diária e a lembrar que fizemos a opção de partilhar a vida juntos. Sua Palavra é clara quanto à santidade do casamento. Ajude-me a fazer a minha parte para honrar e manter os meus votos. Que eu me disponha a deixar passar os pequenos desentendimentos, que nada significam se comparados às grandes bênçãos que partilhamos em nosso relacionamento. Ensine-me a confiar nas passagens mais difíceis, a amar nos momentos de desacordo e a acreditar, apesar das lágrimas, que há uma base forte de compromisso que nos ajudará nesta e nas futuras tempestades que surgirão em nosso caminho.

Amém.

Um bom casamento não é aquele onde reina a perfeição: é um relacionamento onde uma visão positiva supera uma infinidade de "insolúveis".

James C. Dobson

Quando eu busco um sentido para a minha vida...

Não há nada melhor que ser sábio, sabendo como interpretar o sentido da vida.
ECLESIASTES 8:1 MSG

[Deus] determinou os tempos para eles, e os lugares exatos onde deveriam habitar.
ATOS 17:26 NIV*

Sabemos que Deus faz tudo pelo bem daqueles que o amam, daqueles que são chamados segundo os planos dele.
ROMANOS 8:28 RSV

Sejam fortes e firmes, sempre produzindo muito no trabalho do Senhor, pois vocês sabem que nada do que vocês fazem para o Senhor é desperdiçado.
1 CORÍNTIOS 15:58 ABV

Concentrei-me com todas as minhas forças, estudando e explorando e buscando sabedoria – o sentido da vida.
ECLESIASTES 7:25 MSG

...eu faço uma oração.

Querido Pai celeste,

Esta manhã, quando eu via o noticiário da TV, senti um esmagador sentimento de tristeza diante das coisas terríveis que estão acontecendo pelo mundo todo: pessoas desabrigadas em decorrência de inundações, soldados vivendo sob condições de guerra inacreditáveis, crianças sem ter o que comer.

Quanto mais eu via e ouvia, mais eu tinha profunda consciência das minhas mesquinhas reclamações. Pai, por favor, não permita nunca que eu banalize o significado da vida e as inúmeras bênçãos que eu recebo todos os dias. Acorde-me cada manhã com um coração agradecido e a lembrança de que a vida é um bem realmente importante e precioso.

Ajude-me a encontrar um sentido mais profundo no meu relacionamento com o Senhor e com as outras pessoas. Ajude-me a ser grato por todas as bênçãos diárias em minha vida... como uma água limpa para beber, o alimento sobre a mesa, uma cama confortável onde repousar todas as noites e, acima de tudo, a bênção de ter uma família e amigos. Obrigado por fazer-me ver que as melhores coisas da vida não são as coisas materiais.

Amém.

A vida nunca pode ser totalmente sombria ou totalmente fútil, se a chave dela está em nossas mãos.

J. B. Phillips

Quando eu preciso de um milagre...

Pois tu és grande e fazes grandes maravilhas.
Tu és o único Deus.
SALMO 86:10 ABV

Tu és o Deus que faz maravilhas; mostra a
todos os povos da terra o teu grande poder.
SALMO 77:14 ABV

Bendito seja o Senhor Deus, o Deus de Israel!
Ele é o único que faz grandes milagres.
SALMO 72:18 ABV

Muito obrigado, ó Deus! Nós oramos a ti e damos
graças, e contaremos ao mundo os teus grandes milagres.
SALMO 75:1 ABV

Todos respeitarão a Deus e verão como Ele
é grande e poderoso; entenderão e contarão
uns aos outros os seus milagres.
SALMO 64:9 ABV

...eu faço uma oração.

Querido Pai celeste,

Eu sei que muita gente não acredita em milagres. Eles parecem escassos nos dias de hoje, pelo menos aos olhos e à mentalidade intelectualizada do adulto de hoje. Porém, se eu li corretamente as Escrituras, elas dizem que o Senhor é imutável. O Senhor é o mesmo de ontem e será o mesmo amanhã e para sempre.

Estou me apegando a essa promessa, hoje. Eu acredito que se o Senhor realizou milagres no passado, ainda é um Deus que os realiza, capaz de qualquer coisa muito além do que a minha mente limitada pode imaginar ou entender. O Senhor ainda pode abrir os olhos aos cegos, fazer andar o paralítico e devolver a audição a um surdo. O Senhor cura, desencadeia acontecimentos e muda e rearranja situações. Estou certo de que o Senhor é capaz e está disposto a criar um milagre de qualquer proporção.

Não sei como o Senhor vai agir, mas acredito no Senhor e confio que só o Senhor pode mudar as circunstâncias do que está afetando a minha vida neste momento. Eu preciso de um milagre, Senhor, e estou pedindo que me dê a fé de uma criança para que eu simplesmente acredite que todas as coisas são possíveis.

Amém.

Um milagre é um acontecimento além do que qualquer lei física pode produzir; é um acontecimento espiritual, produzido pelo poder de Deus; uma maravilha, um prodígio.

Billy Graham

Quando eu preciso de paciência...

Também oramos para que vocês sejam fortalecidos pelo Seu glorioso poder, para que tenham a paciência e a perseverança de que necessitam.

COLOSSENSES 1:11 NLT

Podemos nos alegrar, igualmente, quando nos encontramos diante de problemas e lutas, pois sabemos que tudo isto é bom para nós – ajuda-nos a aprender a ser pacientes. E a paciência desenvolve em nós a força de caráter, e nos ajuda a confiar mais em Deus cada vez que a utilizamos, até que finalmente a nossa esperança e a nossa fé fiquem fortes e sólidas.

ROMANOS 5:3-4 ABV

Vejam como o lavrador espera pelo precioso fruto da terra, aguardando pacientemente que [o fruto] receba as chuvas. Sejam vocês também pacientes.

TIAGO 5:7-8 NKJV

Já demonstramos que somos aquilo que afirmamos ser, por meio de nossas vidas íntegras, por meio da nossa compreensão do Evangelho e por meio de nossa resignação.

2 CORÍNTIOS 6:6 ABV

...eu faço uma oração.

Querido Deus,

A ilustração da minha Bíblia de criança retratava o Senhor como um pastor. Isso me lembra de como os pastores tinham de ser extremamente pacientes para cuidar de seu rebanho. Não dá para imaginar um pastor que ficasse batendo o pé impacientemente e olhando a toda hora para o relógio, enquanto seus animais pastavam.

Paciência faz parte da Sua índole divina e eu acredito que o Senhor queira que seja parte da minha também. Talvez seja por isso que o Senhor permita que a minha falta de paciência transpareça nas circunstâncias em que me encontro agora.

Eu gostaria de ser capaz de dizer: "Este é só o meu jeito de ser. Faz parte da minha personalidade ser ágil, agressivo e seguro de mim mesmo". Mas esta não é a primeira vez que me encontro numa situação que requer uma espera paciente – e esperar se torna cada vez mais difícil. Ainda assim, aprendi uma coisa: minha impaciência não serve a propósito algum.

É muito bom não ter um limite do número de vezes que eu posso recorrer ao Senhor por causa disso. Perdoe-me por ser um aprendiz tão lento. Certamente sou grato por Sua paciência comigo. Agradeço com antecedência por Sua ajuda.

Amém.

A paciência é amarga, mas seus frutos são doces.

Jean-Jacques Rousseau

Quando eu preciso de paz...

Felizes os que encontram a sabedoria, e aqueles que alcançam a compreensão... Os caminhos [da sabedoria] são agradáveis, e todos os seus caminhos são de paz.
PROVÉRBIOS 3:13,17 NRSV

Eu ouvirei o que Deus, o Senhor, dirá; ele promete paz ao seu povo, aos seus fiéis.
SALMO 85:8 NIV*

A todos vocês que estão em Cristo [o Messias], que a paz esteja com vocês [todo tipo de paz e bênção, especialmente paz com Deus, e livramento dos medos, de paixões que agitam e conflitos morais].
1 PEDRO 5:14 AMP

Busque a paz – não a deixe afastar-se!
SALMO 34:14 MSG

...eu faço uma oração.

Querido Senhor,

O Senhor é chamado de Príncipe da Paz. Isso significa que o Senhor pode me levar a um lugar repleto de paz – mesmo enquanto continuo a viver neste mundo, onde o nível de decibéis é alto e, pior, os níveis de estresse e ansiedade ameaçam fazer da paz um conceito ultrapassado?

Em minha busca por paz, eu não quero recorrer a táticas de segunda mão para escapar da agitação que fervilha em meu coração e em minha mente. Ler um livro em frente à lareira pode proporcionar algum alívio, mas eu receio que seja temporário. Até mesmo monges contemplativos podem ficar agitados e impacientes.

Então a minha oração é esta: mantenha-me no centro da Sua vontade. Faça-me puro de coração e mantenha meus pés em Seu caminho. Mostre-me como regressar ao ponto em que perdi a minha paz, desta vez. Provavelmente isso vai me levar ao lugar em que a perdi repetidas vezes. Por favor, dê-me o discernimento de que preciso; ensine-me os passos práticos e a capacidade de segui-Lo para além da comoção que existe à minha volta e dentro de mim.

Obrigado, Senhor, por fazer de mim um verdadeiro cidadão do Seu reino de paz.

Amém.

Toda a beleza e glória dEle vêm de dentro e lá Ele se alegra em viver, Suas visitas a esse lugar são freqüentes, Suas conversas são doces, Seus confortos são refrescantes e Sua paz excede toda compreensão.

Thomas A. Kempis

Quando eu estou sofrendo perseguição...

Quem nos separará do amor de Cristo?
Será tribulação, ou angústia, ou perseguição,
ou fome, ou nudez, ou perigo, ou espada?
ROMANOS 8:35 NIV*

[Jesus disse] Lembrem-se do que eu disse:
"Um servo não é maior que o seu senhor". Se eles
me perseguiram, irão persegui-los também.
JOÃO 15:20 RSV

[Jesus disse] Amem os seus inimigos, abençoem os que
praguejam contra vocês, façam o bem aos que lhes têm
ódio, e orem pelos que perseguem vocês.
MATEUS 5:44 KJV

[Jesus disse] Bem-aventurados os que são
perseguidos por terem compromisso com Deus.
A perseguição lhes garante o reino de Deus.
MATEUS 5:10 MSG

...eu faço uma oração.

Deus Supremo,

A palavra "perseguido" não tem de ser aplicada somente aos cristãos de antigamente ou de terras longínquas, não é? Porque eu não consigo pensar numa palavra melhor para descrever a minha situação atual. As pessoas acreditam em todo tipo de acusações mentirosas a meu respeito. Eu realmente acho que estou sendo vítima de perseguição, discriminação e exclusão.

Eu não quero ficar paranóico. Ao mesmo tempo, não quero assumir que estou certo sobre isso. E se de repente mereço ser alvo desse tipo de falatório?

Independentemente de eu merecer ou não, esta é uma situação infeliz. Vejo-me forçado a me ajoelhar diante do Senhor. Aqui está o quadro todo. Eu o coloco a Seus pés... os detalhes, as minhas reações e a minha certeza de que o Senhor está no comando.

Desta posição, eu posso enxergar melhor. Eu vejo que o meu primeiro passo deve ser aceitar o julgamento, seja ele justo ou não –, talvez até agradecer por ele. A perseguição me coloca em muito boa companhia.

Não importa o que aconteça, nada pode me separar do Seu cuidado amoroso. Fortifique o meu espírito. Por favor, dê-me a sabedoria de que eu preciso. Mostre-me como agir após esta oração, se houver algo a fazer. Obrigado por me manter dependente do Senhor.

Amém.

O servo de Cristo nunca deve se surpreender
por ter de beber do mesmo copo que seu Senhor.

J. C. Ryle

Quando eu preciso de proteção...

O Senhor ordenará aos seus anjos que protejam você,
onde quer que você vá.
SALMO 91:11 TLB

O Senhor me protege com seu escudo; sua mão me
sustenta com firmeza, seus modos gentis me alegram.
SALMO 18:35 MSG

O Senhor é a minha luz e a minha salvação;
de quem terei temor? O Senhor é o meu forte refúgio;
de quem terei medo?
SALMO 27:1 NVI

Livrai-me dos meus inimigos, ó meu Deus, protegei-me
dos que se erguem contra mim.
SALMO 59:1 RSV

...eu faço uma oração.

Senhor Todo-Poderoso,

Eu preciso de Sua proteção – em casa, no trabalho, em todo lugar. Cada vez que eu saio de casa, entro no meu carro, paro no shopping e atravesso a rua estou em perigo. Simplesmente não existe um lugar seguro para mim e para aqueles que amo fora do círculo de Seus cuidados amorosos. Dependemos todos de Seu forte escudo à nossa volta.

Ensine-nos, Senhor, a viver com responsabilidade – embora não sem temor – neste mundo perigoso. É um privilégio depositar minha fé e confiança em seus cuidados. A Bíblia diz que o Senhor inclusive enviou Seus anjos para cuidarem de nós.

Agradeço também por Sua proteção espiritual. Sei que uma guerra está sendo travada – uma guerra por minha alma e pelas almas daqueles que o Senhor escolheu para viver em relacionamento íntimo com o Senhor. Mantenha-nos sempre alertas, seguros e confiantes de que estaremos sãos e salvos enquanto andarmos por Seus caminhos.

Este mundo é traiçoeiro, Senhor – e o Senhor sabe disso melhor do que ninguém. Mas o Senhor me deu a armadura de que preciso para viver com segurança e para realizar a Sua vontade na minha vida. Eu Lhe agradeço por isso.

Amém.

A vontade do Senhor é nossa única segurança.

Betsie ten Boom

Quando eu não consigo dormir...

Vou deitar em paz, e dormir; porque só o Senhor,
meu Deus, me dá plena segurança.
SALMO 4:8 NKJV

Quando se sentar, não terá medo; quando se deitar,
seu sono será tranqüilo.
PROVÉRBIOS 3:24 RSV

O Senhor dá descanso àqueles que ama.
SALMO 127:2 NCV

O temor a Deus conduz à vida; quem o teme pode
dormir satisfeito, intocado pelo mal.
PROVÉRBIOS 19:23 NASB

Repouse no Senhor, ó minha alma;
minha esperança vem dele.
SALMO 62:5 NIV*

...eu faço uma oração.

Querido Senhor,

Estou cansado e queria tanto conseguir simplesmente dormir. Eu não quero usar esse tempo para orar – a não ser que seja uma oração para dormir –, mesmo que seja nobre orar durante as vigílias noturnas. Eu fico mais desperto quando começo a pensar sobre o que devo orar. Deixarei as vigílias sob Seus cuidados.

Dizem que a noite torna nossos problemas maiores. Isso, com certeza, acontece. Minha mente está trabalhando, inventando novos problemas para fazer companhia aos antigos. Enquanto isso, o resto da casa dorme como se não tivesse uma preocupação sequer.

Será que devo levantar? Será que eu dormi um pouco, mesmo pensando que estou deitado aqui, acordado? Como vou me manter acordado amanhã, no trabalho? O relógio marca três horas. Será verdade que fiquei acordado todo esse tempo?

Quem está alerta a esta hora? O Senhor está, é claro. Talvez simplesmente ficar em Sua presença me faça relaxar – encontrar paz e descansar. De qualquer forma, estarei seguro e confortável aqui com o Senhor. Boa noite, Senhor.

Amém.

Doce restaurador da natureza fatigada, sono balsâmico!

Edward Young

Quando eu preciso de força...

Incline Seu ouvido para mim, resgate-me depressa; seja para mim uma rocha, um forte para salvar-me.
SALMO 31:2 NASB

Aqueles que esperam no Senhor terão suas forças renovadas; voarão como águias, correrão sem se cansar, caminharão sem se fatigar.
ISAÍAS 40:31 NKJV

Vou gabar-me... de minhas fraquezas, para que o poder de Cristo venha habitar em mim... porque quando estou fraco, é então que sou forte.
2 CORÍNTIOS 12:9-10 NIV*

A base da minha força, meu refúgio está em Deus.
SALMO 62:7 NASB

...eu faço uma oração.

Senhor meu Deus,

Aqui estou eu novamente, levado pela minha fraqueza à segurança de Sua promessa de me fortalecer e sustentar. Apegando-me a Suas promessas, já me sinto descansando em Sua presença. A dor de cabeça causada pela tensão está desaparecendo, eu posso pensar mais claramente e toda a ansiedade está sumindo.

Senhor, quando é que eu vou aprender a buscar o Senhor antes que a crise me invada, antes que minhas próprias forças me faltem, antes que eu possa fazer pouco mais do que desfalecer em Seus braços? Eu quero corrigir esses encontros de última hora, buscados como último recurso. Desta vez, eu vou levar Suas promessas comigo quando terminar esse momento de oração. Eu vou lembrar delas a cada início e fim de dia, até que eu as tenha interiorizado.

Obrigado, Senhor, por estar sempre presente para mim, por me levantar quando eu caio, por substituir minha fraqueza por Sua força. Sempre tive medo de admitir minhas fraquezas, mas vejo agora que minha insuficiência é minha oportunidade de experimentar a força transbordante que vem do Senhor. Obrigado por ser minha Rocha.

Amém.

Quando um homem que não tem forças se apóia em Deus, ele se torna poderoso.

Dwight Lyman Moody

Quando eu estou enfrentado a tentação...

Bem-aventurados os que resistem à tentação. Os que passarem pelo teste receberão a coroa da vida que o Senhor prometeu para aqueles que o amam.
TIAGO 1:12 NRSV

[Jesus disse] Vigiem e orem para que não caiam em tentação; o espírito está pronto, mas a carne é fraca.
MATEUS 26:41 NVI

Vocês não enfrentaram nenhuma tentação maior do que podiam suportar, porque Deus é fiel e não permitirá que vocês enfrentem tentações acima das suas forças, mas junto com a tentação ele dará a vocês o caminho para escapar dela, para que possam suportá-la.
1 CORÍNTIOS 10:13 NKJV

O diabo, seu inimigo, ronda vocês como um leão que ruge, procurando a quem devorar. Resistam ao diabo, permanecendo firmes na fé.
1 PEDRO 5:8-9 NCV

...eu faço uma oração.

Senhor abençoado,

Eu ouvi uma frase, atribuída a Martin Luther King: "Você não pode evitar que os pássaros voem sobre sua cabeça, mas não precisa deixar que eles construam um ninho em seu cabelo", o que significa que todos são tentados, mas nós podemos optar por não ceder.

Mas descobri outra coisa: a simples compreensão dessa frase não garante que os pássaros continuem simplesmente voando em volta do "aeroporto", sem pousar nele.

Hoje, ainda estou retirando restos de ninho do meu cabelo. Agora, mais do que nunca, tenho certeza de que eu preciso ficar perto do Senhor, escutando o que o Senhor diz. Se estivermos próximos, poderei ouvir Sua voz mais facilmente e não ficarei perdido em meio ao barulho dos "pássaros". O Senhor pode me manter em movimento, evitando que qualquer pássaro me considere um bom local de nidificação. Se estivermos próximos, o Senhor pode até espantar alguns deles. Eu não tenho olhos atrás da cabeça. Tome conta de mim, Senhor. Minha prece é simples: eu quero estar próximo do Senhor.

Amém.

Todo o esforço, o objetivo da tentação é nos induzir a substituir Deus por alguma outra coisa. Obscurecer Deus.

R. H. Stewart

Quando eu preciso de sabedoria...

A tua vontade é ver a verdade no coração do homem; por favor, ajuda-me a conseguir tua sabedoria no meu coração.

SALMO 51:6 ABV

Se a algum de vocês falta sabedoria, peça-a a Deus, que tudo dá a todos, com generosidade e boa vontade, e lhe será dada.

TIAGO 1:5 NRSV

O homem que encontra a sabedoria e descobre a verdade é um homem feliz! A sabedoria produz muito mais benefícios do que o ouro ou a prata mais finos. Ela vale mais que pedras preciosas; não existe nada neste mundo que valha tanto quanto ela. Veja o que ela oferece ao homem! Uma vida longa e tranqüila, riquezas e honra.

PROVÉRBIOS 3:13-16 NVI

Louvarei ao Senhor que me guia; à noite Ele instrui meu coração. Sei que o Senhor está sempre comigo. Não tropeçarei, pois Ele está ao meu lado.

SALMO 16:7-8 NLT

...eu faço uma oração.

Querido Senhor,

Por Sua graça, eu sei que posso receber uma medida de Sua sabedoria. Eu preciso dela hoje, agora mesmo, para que eu possa esclarecer uma situação complicada. O elemento humano, emocional, está tornando tudo mais difícil, mas eu sei que o Senhor pode me ajudar a entender tudo isso.

O Senhor nos encoraja a pedir Sua sabedoria, e é isso que eu estou fazendo. Coloque Suas soluções a meu dispor, Senhor, não importa como. Fale a minha língua, faça com que tudo isso seja compreensível para mim. Eu peço e espero Sua resposta. Eu preciso saber como lidar com essa situação de um modo que seja produtivo e benéfico para todos os envolvidos. Por onde começo, Senhor?

A Bíblia diz que Sua sabedoria está a meu serviço, sempre que eu pedir. E o Senhor sabe que eu já fiz tais pedidos antes, em momentos de necessidade. O Senhor nunca falhou comigo. Todas as vezes vi meus pensamentos girando como a engrenagem de um cadeado. Antes do que imaginava, eu estava me encaminhando para uma solução.

Faça-o novamente! Ordene a minha linha de raciocínio falha e me inspire com Sua sabedoria e aconselhamento.

Amém.

O conhecimento vem, mas é a sabedoria que o mantém.

Alfred Lord Tennyson

Quando eu tenho preocupações no trabalho...

Faça seu trabalho com entusiasmo. Trabalhe como se estivesse servindo a Deus, e não servindo apenas a homens e mulheres.
EFÉSIOS 6:7 NCV

Minha vida nada vale a menos que eu a consagre para fazer o trabalho que o Senhor Jesus me determinou.
ATOS 20:24 NLT

Tudo o que fizerem, façam de todo o coração, como para o Senhor, e não para os homens, sabendo que receberão do Senhor a recompensa da herança. É a Cristo, o Senhor, que vocês estão servindo.
COLOSSENSES 3:23-24 NVI

Aceitar o seu destino e aproveitar aquilo que ganha – isso é um presente de Deus. A pessoa que fizer isso não precisará olhar para trás, arrependida da vida, porque Deus lhe deu alegria.
ECLESIASTES 5:19-20 ABV

...eu faço uma oração.

Meu pai,

A Bíblia diz que o trabalho é um presente do Senhor, mas eu não estou vendo como pode ser. Algumas vezes eu me sinto como se tivesse sido capturado por alienígenas e estivesse apenas tentando sobreviver enquanto não chega a nave de resgate, para que eu possa finalmente trancar a porta do escritório e fugir.

Todos esses mexericos, rivalidades, interesses partidários, injustiças e competição: todos se culpam uns aos outros e ninguém parece querer se responsabilizar pelos próprios erros. E o que é pior: na maioria das vezes, eu me vejo fazendo parte disso tudo. Num momento eu estou trabalhando e em seguida encontro alguém no corredor que solta um boato provocante qualquer. Ou então me perguntam algo no meio de uma reunião – a coisa mais simples do mundo – e de repente eu estou envolvido. Isso me faz questionar se meus colegas de trabalho, que individualmente são pessoas agradáveis, também estão sendo levados a agir assim.

Senhor, ajude-me a fazer mais do que me esconder em meu escritório. Dê-me a coragem de tomar uma posição firme em relação ao que é bom e justo. E mostre-me como agir sem julgar ou ser condescendente. Eu quero que o meu trabalho seja aquilo que ele devia ser – uma dádiva do Senhor.

Amém.

Renove nossos espíritos e atraia nossos corações, ó Senhor, para que nosso trabalho não seja uma carga, mas uma dádiva.

Benjamin Jenks

Deus, seja misericordioso comigo,
Em Sua graça eu coloco a minha súplica
Que Sua imensa e abundante graça
Apague todas as minhas iniqüidades.
Lave-me completamente do meu pecado
Purifique-me de todo mal interior.
Livro dos Salmos

Orações de Reconciliação

Ergo minha voz para Deus
quando eu preciso de perdão

Quando faço escolhas erradas...

Ele ensina a distinguir o certo do errado,
a encontrar a decisão certa todas as vezes.
Provérbios 2:9 TLB

Quem são os que temem o Senhor?
Ele lhes dirá qual é o caminho que devem escolher.
Salmo 25:12 NRSV

Um governo onde faltem homens sábios destrói
uma nação; mas, se há conselheiros prudentes,
o povo vive em segurança.
Provérbios 11:14 ABV

Quem procura ajuda e pede conselhos
será bem-sucedido.
Provérbios 15:22 ABV

O Espírito nos dá desejos opostos aos que
a natureza pecadora deseja. ...As suas escolhas
nunca estão livres deste conflito.
Gálatas 5:17 NLT

...eu faço uma oração.

Querido Deus,

Os "e se..." estão me dominando completamente, hoje. Eu sei que a escolha foi minha e que eu tenho de deitar na cama que preparei. Por estar convencido de que era uma oportunidade boa demais para deixar passar, eu tomei uma decisão que afetou toda a minha família. Eu me recusei a escutar as objeções. Agora nós sabemos que isso foi um erro e estamos em dificuldades. E é tudo minha culpa.

Eu devia tê-los escutado. Amigos, família, colegas de trabalho – eles estavam certos. Mas mesmo que todos eles estivessem errados, eu devia tê-los escutado melhor.

Ao menos eu estou disposto a admitir a minha insensatez. Mas, na prática, isso não ajuda muito.

Acho que agora tenho de tirar o melhor da situação – contando com Sua paciente ajuda. O Senhor não me priva de Sua ajuda apenas porque eu tomei uma decisão errada. Muitos de Seus filhos fazem más escolhas. E o Senhor perdoa a cada um, se eles Lhe fazem o pedido.

Perdoe-me por ignorar o conselho que o Senhor tentava me transmitir. Isso é que é arrogância. Perdoe-me, Senhor.

Quero que o desejo do meu coração corresponda sempre ao do Seu coração.

Amém.

Pela misericórdia de Deus nós podemos nos arrepender
de uma má escolha e alterar as suas conseqüências
ao fazer uma escolha nova e correta.

A. W. Tozer

Quando deixo de cumprir minha palavra...

[O Senhor ordenou] Se um homem faz uma promessa ao Senhor ou diz que vai fazer algo especial, ele deve cumprir sua promessa. Deve fazer o que disse.
NÚMEROS 30:2 NCV

Se você não fizer a promessa, não terá culpa alguma. Faça tudo para cumprir o que prometer, porque você escolheu de livre vontade fazer uma promessa ao Senhor seu Deus.
DEUTERONÔMIO 23:22-23 NCV

Mantenha a sua palavra mesmo que isso lhe custe.
SALMO 15:4 MSG

Ó Senhor... ajude-me a nunca mentir.
PROVÉRBIOS 30: 7-8 TLB

Eu sei, meu Deus, que o Senhor põe o coração à prova e exulta na integridade.
1 CRÔNICAS 29:17 NIV*

...eu faço uma oração.

Fiel Senhor,

Estou aqui para admitir algo que eu não deveria ter feito. Agora há pouco, meu vizinho me ligou querendo saber por que não fiz o que eu disse que faria para ele. A verdadeira razão é que eu me esqueci. Eu não olhei a minha agenda. Eu simplesmente esqueci.

O Senhor pode pensar que eu disse isso a ele. Mas não... eu não só deixei de cumprir a minha promessa como falhei em ser honesto. Eu disse a ele que tive uma emergência familiar. Isso é mentira, e nem mesmo uma do tipo inocente. A verdade é que eu falhei em manter minha palavra e depois disse uma mentira para parecer melhor.

Eu poderia ter dito a verdade: "Sinto muito, eu esqueci completamente. Preciso encontrar uma maneira melhor de me lembrar. Por favor, me perdoe".

Agora eu tenho uma escolha. Posso me sentir como um verme toda vez que eu vir meu vizinho ou posso... bem, sentir-me como um verme e dizer a ele a verdade.

Quando o Senhor disse que nós seríamos "pescadores de homens", eu não imaginava que algumas vezes nós seríamos vermes em Seu anzol. Eu peço que, esclarecendo minha humilhante desonestidade em relação a ele, mantenha-se a nossa amizade e eu possa me tornar mais responsável.

Amém.

Quem faz poucas promessas, provavelmente as cumpre com maior rigor.

Jean-Jacques Rousseau

Quando me inclino à mentira e ao engano...

Mantenha longe de mim o pecado e as mentiras.
PROVÉRBIOS 30:8 NASB

Ouçam-me! Pois tenho uma informação importante. Tudo o que eu disse é certo e verdadeiro, pois odeio mentiras e qualquer espécie de falsidade.
PROVÉRBIOS 8:6-7 TLB

Quem fala a verdade ajuda a justiça a triunfar, mas a testemunha mentirosa só cria confusão e engano.
PROVÉRBIOS 12:17 ABV

Deixem a falsidade de lado, que todos digam a verdade a seu próximo, pois somos membros uns dos outros.
EFÉSIOS 4:25 RSV

[Jesus disse] Ele [o demônio] é um mentiroso, é o pai das mentiras. Mas... eu falo a verdade.
JOÃO 8:44-45 NRSV

...eu faço uma oração.

Oh, Senhor,

Eu não queria que me culpassem pela atitude negligente e egoísta que tive, então menti sobre ela. Fiquei chocado ao pensar que eu poderia fazer algo assim, mas tenho certeza de que o Senhor não ficou. Afinal, o Senhor vê o meu coração. O Senhor sabe do que eu sou realmente capaz – muito mais do que eu mesmo.

Agora que eu confessei toda a verdade, Senhor, eu preciso saber o que devo fazer em seguida. Em primeiro lugar, eu pretendo me desculpar pelo mau comportamento e pela minha mentira idiota. Mas uma confissão é – tenho certeza – pouco mais do que só o começo. Eu também preciso saber qual a falha de caráter que permitiu que eu fizesse algo assim; e eu preciso saber como evitar que isso ocorra no futuro.

Tenho certeza de que não será fácil encarar minha própria falha, mas estou pronto, Senhor. Coloque-a diante de mim e deixe-me rejeitá-la. Se eu tentar fugir, cerque-me até que eu encare o problema. Eu sei que ser enganador não é honrar o Senhor. Dói-me saber que eu O tratei com desrespeito. Eu quero fazer melhor. Obrigado, Senhor, pela alegria de ser livre para escolher a verdade.

Amém.

A essência da mentira está na decepção, não nas palavras;
uma mentira pode ser dita em silêncio, por equívoco,
pela entonação de uma sílaba, por um relance de olhar
que dá um significado peculiar a uma frase.

John Ruskin

Quando sou orgulhoso e arrogante...

Não fale mais com tanto orgulho, não permita que a arrogância seja fruto de sua boca.
1 Samuel 2:3 NRSV

Quando vem o orgulho, vem junto a desgraça; mas com a humildade vem a sabedoria.
Provérbios 11:12 RSV

O orgulho vai à frente da destruição e a vaidade segue antes da queda.
Provérbios 16:18 TLB

O orgulho arruinará o homem, mas os humildes serão exaltados.
Provérbios 29:23 NCV

O amor não é... arrogante nem rude.
1 Coríntios 13:4-5 RSV

...eu faço uma oração.

Pai Celestial,

Estou novamente naquela indecisão, tão familiar para mim. Desta vez, para variar, eu gostaria de ficar do Seu lado. É a barreira da arrogância que eu mesmo busquei para mim. Mesmo quando eu reconheço a maneira como a minha presunção maculou novamente uma conversa, eu permaneço dividido: só mais ou menos consternado. A outra metade de mim é... bem, muito orgulhosa para querer deixar de lado a imagem frágil que eu criei e projetei. Eu gosto de fazer com que as pessoas pensem que eu sou especial.

Mas aos poucos eu estou aprendendo a me lamentar por tudo isso. Percebi que esse tipo de situação me torna muito menos confiante e sereno interiormente. Eu não me importo tanto com as outras pessoas. Pior ainda, o Senhor parece mais distante quando não consigo me definir.

O Senhor chamou minha atenção e me deu dicas de que eu preciso submeter meu orgulho ao Senhor. Eu não as levei muito a sério. Sinto muito, Senhor. Isso é muito importante. Afeta tudo. O Senhor é o Mestre da minha vida. Se o Senhor quer repelir meu orgulho, pode fazê-lo. Eu não quero arruinar minha jornada espiritual com o Senhor por causa do meu egocentrismo.

Amém.

O orgulho é o pai de todos os pecados
e o solo no qual eles crescem.

William Barclay

Quando negligencio minhas responsabilidades...

Não tente fugir da responsabilidade dizendo que não sabia de nada. Pois Deus conhece todos os corações, e ele vê você.
PROVÉRBIOS 24:12 NLT

[Jesus disse] Eu lhes digo que, no dia do juízo, os homens haverão de dar conta de toda palavra inútil que tiverem falado. Pois por suas palavras vocês serão absolvidos, e por suas palavras serão condenados.
MATEUS 12:36-37 NVI

Cada pessoa deve julgar as próprias ações e não ficar se comparando com outras. Então pode sentir orgulho do que ela própria fez. Cada pessoa é responsável por si mesma.
GÁLATAS 6:4-5 NCV

Se Deus lhe deu o dom da liderança, leve a responsabilidade a sério.
ROMANOS 12:8 NLT

...eu faço uma oração.

Querido Senhor Jesus,

Realmente não há desculpa. Eu tenho o tempo, a energia e a inteligência para fazer o que devo fazer. Eu tenho a intenção de fazer tudo. Eu até crio listas.

Mas então "surge algo" ou "o meu dia é uma loucura" ou "é tarde demais para começar, então por que tentar?". Eu procrastino. Amanhã. Mais tarde, certo? "Eu te ligo mais tarde". "Eu faço questão de...".

Deviam criar uma linha de cartões sobre "atrasos" só para mim. É muito mais do que aniversários atrasados... eu tenho um problema com responsabilidade.

Algumas vezes eu até faço promessas fervorosas, mas depois as renego... com desculpas mirabolantes: "Eu me comprometi muito e não pude administrar tudo". "Eu tinha intenção de fazer, mas então troquei de agenda." "Minha memória anda um horror".

Talvez eu devesse conseguir uma justificativa de ausência da minha vida. Meu nome do meio devia ser dissimulado.

Diga-me sem rodeios – pelo que o Senhor me considera responsável? Então, Senhor, por favor, ajude-me a deixar de ser tão preguiçoso. Sem brincadeira. Sei que não posso fazer isso sozinho. Eu preciso de Sua ajuda. Obrigado, Senhor.

Amém.

Caráter – a disposição de aceitar a responsabilidade por nossas próprias vidas – é a fonte da qual jorra o respeito próprio.

JOAN DIDION

Tanto de dia quanto de noite
Faça de mim um intercessor,
Alguém que pode realmente orar
Um dos "lembradores do Senhor".
Frances Ridley Havergal

Orações de Intercessão

Ergo minha voz para Deus
para orar pelos outros

Quando meu filho está lutando contra o vício...

Em Deus repousa minha salvação e minha honra;
minha fortaleza, meu refúgio, é Deus.
SALMO 62:7 RSV

Mas o Senhor protege aqueles que o temem, aqueles que firmam a esperança em seu amor, para livrá-los da morte e garantir-lhes a vida, mesmo em tempos de fome.
SALMO 33:18-19 NVI

O pecado não terá domínio sobre vocês,
pois vocês estão... sob a graça.
ROMANOS 6:14 RSV

Das alturas estendeu a mão e me segurou; tirou-me das águas profundas. Livrou-me do meu inimigo poderoso, dos meus adversários, fortes demais para mim.
SALMO 18:16-17 NVI

...eu faço uma oração.

Deus amado,

Embora nós, seus pais, não concordemos em muitas coisas, ambos queremos o melhor para nossa filha: que ela se liberte do seu vício insidioso. A princípio pensamos que suas longas ausências significavam que ela estava se tornando mais adulta e independente. Agora sabemos os motivos. Na verdade, sabemos demais, e isso interfere em nossa capacidade de confiá-la ao Senhor.

Gostaríamos de poder pressionar a tecla de retrocesso e começar tudo de novo. É provável que ela também pense assim, embora não se possa concluir isso por suas atitudes.

Se fôssemos ricos o bastante para comprar uma saída para este dilema, sabemos que ainda assim não funcionaria. Tampouco é possível, mesmo com a ajuda de "especialistas", fazê-la mudar seu comportamento autodestrutivo. Ela foi longe demais. Agora está em algum lugar que desconhecemos. Mas o Senhor sabe onde ela está. Envie Seus anjos para protegê-la e persuadi-la a voltar para casa e para o Senhor.

Nos prostramos diante do Senhor. Venha como o Guerreiro para enfrentar os inimigos no campo de batalha em que nossa filha tem andado. Nós pedimos em nome de Jesus.

Amém.

Pai, liberte-me pela Glória de Sua vontade, para que eu queira somente o que o Senhor quer... Só o Senhor é a libertação, a segurança absoluta para problemas de toda sorte e origem que já existiram, existem ou existirão no Universo.

George MacDonald

Quando meu filho está em perigo...

O Deus eterno é o teu refúgio, e para te amparar existem os braços eternos; e Ele expulsará os inimigos de perto de ti e dirá: "Destrua-os".

DEUTERONÔMIO 33:27 KJV

Que o Senhor te responda no tempo da angústia, o nome do Deus de Jacó te proteja!

SALMO 20:1 NVI

Depois que eles se foram, um anjo do Senhor apareceu a José num sonho. "Levante-se", disse ele, "pegue o menino e a mãe dele e fuja para o Egito. Fique lá até que eu avise, porque Herodes irá procurar o menino para matá-lo."

MATEUS 2:13 NIV*

Alegrem-se, porém, todos os que se refugiam em ti; cantem sempre de alegria! Estende sobre eles a tua proteção, em ti exultem os que amam o teu nome.

SALMO 5:11 NVI

...eu faço uma oração.

Deus Pai,

Quanto mais minha filha cresce, mais me dou conta dos perigos do mundo. Não são apenas a doença, os acidentes ou as pessoas de má índole, mas uma infinidade de perigos envolve suas decisões ainda imaturas. Não é muito fácil protegê-la contra ela mesma. Sua personalidade está em constante mudança.

Mas eu sei que o Senhor não muda. O Senhor ainda é o seu protetor e ainda responde às orações de um pai que se preocupa com os riscos que ela tem de enfrentar. Peço que o Senhor envie Seus anjos para proteger minha filha. Afaste as forças do mal que espreitam na escuridão. Minha filha é tão suscetível à pressão dos colegas! Afaste os seus passos do caminho que leva à destruição – mesmo que seus amigos a convidem a segui-lo.

Proteja seu corpo, sua mente e seu espírito. Eu não posso estar certo do futuro, mas tenho certeza de que o Senhor sempre a ampara. Não a deixe, Senhor. Acolha minha filha na concha de Sua mão.

Amém.

Crendo nas promessas de Cristo, o cristão,
ao ser levado através de todo tipo
e tamanho de dificuldade, sai dela ileso.

Richard C. Halverson

Quando meu filho precisa de cura emocional...

Levantem-se no meio da noite e chorem, gritem ao seu Deus. Derramem o seu coração, todas as suas tristezas diante do Senhor. Levantem a Ele as suas mãos e peçam a Ele que salve os seus filhinhos.
LAMENTAÇÕES 2:19 ABV

[Jesus disse] "Felizes os que choram, porque serão consolados."
MATEUS 5:4 NKJV

Minha saúde pode acabar, meu coração ficar doente, mas Deus é a fortaleza do meu coração. Ele é a minha eterna riqueza!
SALMO 73:26 ABV

Minha saúde falha, meu espírito se angustia, mas Deus permanece! Ele é a força do meu coração; ele é meu para sempre!
PROVÉRBIOS 12:18 TLB

...eu faço uma oração.

Deus amado,

A ira do meu filho ainda vai metê-lo em confusão, algum dia. Quanto mais ele cresce, mais parece que vai agredir alguém, investindo contra essa pessoa com palavras ásperas. Eu não sou assim. Se existe um pacifista natural, esse sou eu. Como posso ter um filho tão irascível?

Pai, eu acredito que o Senhor criou meu filho, que o Senhor pessoalmente juntou as partes que o constituem, incluindo sua estrutura emocional. E o Senhor sabe tudo; sabe, portanto, como as circunstâncias de sua vida agiram sobre ele. Com certeza algumas delas são responsáveis por aquilo que ele é hoje.

O Senhor está a par de tudo o que ele passou e os desafios que tem enfrentado. Eu Lhe peço, Senhor, que toque o seu coração. Deixe que ele sinta o Seu amor e que Sua cura se derrame sobre ele, purificando-o e dandolhe a oportunidade de recomeçar.

E então, Senhor, que eu possa ajudá-lo a manter o equilíbrio, possa ser para ele um bom exemplo e um amigo em quem possa confiar inteiramente. Eu entrego meu filho ao Senhor, sabendo que o Senhor fará toda a diferença na vida dele. Obrigado por Seu amor, por Sua cura e por Seu toque amoroso.

Amém.

Palavras adequadas têm o poder de amenizar
a grandiloqüência de uma mente perturbada.
E são um bálsamo para feridas infeccionadas.

John Milton

Quando meu filho precisa de cura física...

Um dos chefes da sinagoga, chamado Jairo, aproximou-se e, quando viu [Jesus], caiu a seus pés e implorou repetidamente: "Minha filhinha está a ponto de morrer. Vem e põe as mãos sobre ela, para que fique bem e viva." Então [Jesus] acompanhou Jairo. ... Quando chegaram à casa do chefe da sinagoga... [Jesus] pegou a menina pela mão e disse-lhe: "Talitha cum", que significa: "Menininha, levante-se!" Imediatamente a menina levantou-se e começou a andar.

MARCOS 5:22-24, 38,41-42 NRSV

Quando ouviu que Jesus tinha ido da Judéia para a Galiléia, foi ao encontro d'Ele e implorou-Lhe que fosse curar seu filho, que estava a ponto de morrer. ...Jesus disse a ele: "Vá, seu filho está vivo." O homem acreditou na palavra de Jesus e partiu.

JOÃO 4: 47,50 NASB

[Diz o Senhor do Universo] "Mas para vocês, os que me obedecem, nascerá o sol da justiça, trazendo com ele a salvação."

MALAQUIAS 4:2 ABV

...eu faço uma oração.

Senhor amado,

Quando percorreu este mundo, o Senhor ficou conhecido como o Grande Médico, o Poderoso Curador. O Senhor não mudou. Por isso, eu estou muito feliz que o Senhor esteja conosco esta manhã. Nós certamente precisamos da Sua ajuda. Meu filho está doente. E quando meu filho cai doente, tudo vai mal comigo.

Mostre-me como agir. Dê-me Sua sabedoria para discernir o que fazer – se há algo a ser feito. Devemos procurar um médico ou esperar que a enfermidade passe por si mesma? Eu dependo do Senhor, que tudo sabe. Nós dois dependemos.

Ao colocar a mão sobre a testa delicada de meu filho, eu darei um passo para trás e deixarei que o Senhor assuma, fazendo o Seu trabalho. Eu sei que o Senhor não vai nos abandonar – quer a cura seja instantânea, quer no Seu tempo perfeito e do Seu modo perfeito.

Como fizeram centenas de outros pais na Bíblia, eu coloco meu filho em Suas mãos e peço que o Senhor seja simplesmente quem é – um Deus dócil, amoroso, misericordioso e gentil. Cure minha querida criança, Pai. Minha esperança está no Senhor.

Amém.

Vosso toque conserva o antigo poder,
Um toque amoroso que tudo cura.

Amy Carmichael

Quando meu filho está com problemas na escola...

Tu criaste todas as partes internas do meu corpo.
Tu uniste todas essas partes para formar o meu corpo,
enquanto eu ainda estava no ventre de minha mãe.
Eu te agradeço por teres me criado de maneira tão
perfeita e maravilhosa! O teu trabalho é um verdadeiro
milagre e na minha alma sei disso muito bem.
SALMO 139:13-14 ABV

Todos os seus... filhos serão discípulos [ensinados pelo
Senhor...], e grande será a paz... de seus filhos.
ISAÍAS 54:13 AMP

Fiquei mais esperto que meus professores porque aprendi
a decidir só depois de ponderar sobre a Sua palavra.
SALMO 119:99 MSG

Pois o Senhor é quem dá sabedoria: de sua boca
procedem o conhecimento e o discernimento.
PROVÉRBIOS 2:6 NVI

...eu faço uma oração.

Pai celestial,

O estudo tem sido uma luta muito grande para meu filho, e ele está muito infeliz. Não importa o quanto ele se esforce, parece incapaz de absorver o que está sendo ensinado. Quando fracassa, ele fica frustrado e se considera ignorante. E isso parte o meu coração. Ele pensa em desistir e, honestamente, neste momento eu tenho o impulso de desistir também.

Mas é claro que eu não posso fazer isso. Pai, eu sei que o Senhor criou o meu filho para ser uma criatura muito especial e que o Senhor o ama ainda mais do que eu. Eu sei também que o Senhor tem um grande plano para a vida dele. Dê ao seu professor e a mim o discernimento do que meu filho realmente precisa. Talvez ele seja diferente das outras crianças. Dê-nos paciência e mostre-nos os métodos que vão destravar sua mente e tornar o seu aprendizado prazeroso. Ajude-nos a descobrir sua propensão, para que possamos alimentá-la e ajudá-lo a realizar o destino para o qual o Senhor o criou.

Encoraje o coração de meu filho, Pai, e ajude-o a ver que ele pode ser um vencedor. Dê-lhe a tenacidade de perseverar sempre e ajude-o a triunfar.

Amém.

Não há situação sem esperança; há apenas pessoas
que perderam as esperanças em relação a elas.

Clare Boothe Luce

Quando meu cônjuge precisa de orientação...

Que a paz [harmonia da alma que vem de] de Cristo seja o juiz [aja continuamente] em seu coração [decidindo todas as questões que surgem em sua mente].
COLOSSENSES 3:15 AMP/NVI

Seus ouvidos escutarão uma voz às suas costas, "Este é o caminho, siga por ele".
ISAÍAS 30:21 NASB

Tu estavas sempre a meu lado, segurando bem firme a minha mão direita. Tu me guiarás com a tua sabedoria.
SALMO 73:23-24 ABV

Este Deus... será nosso guia até o fim!
SALMO 48:14 NVI

O Senhor os guiará continuamente.
ISAÍAS 58:11 RSV

...eu faço uma oração.

Querido Pai,

Depois de encher uma folha inteira de prós e contras, minha esposa ainda não sabe o que fazer. Nós dois tomamos juntos todas as grandes decisões de nossas vidas: sobre nossos filhos, onde morar, que carro comprar, onde passar as férias. Mas agora minha amada tem uma importante decisão a tomar, uma decisão que eu não posso tomar por ela.

Eu peço que o Senhor substitua por Sua paz a angústia que ela está sentindo. Peço que ela seja capaz de lançar sua preocupação em Suas mãos e conscientizar-se de que não está sozinha... que o Senhor está ao lado dela, dando-lhe a mão.

O Senhor promete nas Escrituras que sempre nos guiará, que se O reconhecermos, o Senhor protegerá cada um dos nossos passos. Eu oro para que o Senhor faça isso por minha esposa. Ao sentar-se silenciosa em Sua presença, eu peço que ela ouça Sua voz suave e sutil, dizendo-lhe que caminho tomar. Eu peço que Sua paz seja o juiz, ajudando-a a decidir esse impasse com convicção, mas conforme a Sua vontade.

Obrigado por nos ajudar a confiar totalmente no Senhor.

Amém.

Deus é um Espírito todo-poderoso guiando todos os acontecimentos para um final santo e sábio.

David Hume

Quando meu cônjuge precisa de cura física...

"Eu restaurarei sua saúde e curarei suas feridas", declara o Senhor.
JEREMIAS 30:17 NIV*

Todo mundo estava tentando tocar nele, porque quando conseguiam, saía dele poder curativo, e eles saravam.
LUCAS 6:19 ABV

Bendiga o Senhor a minha alma!
...Não esqueça nenhuma de suas bênçãos!
É Ele que cura todas as doenças.
SALMO 103:2,3 NVI

Ó Senhor, cura-me, pois meus ossos estão em agonia.
Minha alma está angustiada.
SALMO 6:2-3 NIV*

...eu faço uma oração.

Ó Grande Médico,

A doença é tão difícil para nós, adultos; um grande inconveniente. Seja um problema suficientemente sério para nos levar a uma internação hospitalar ou um simples resfriado, a doença interrompe a nossa vida, torna-nos infelizes, impede que façamos bem o nosso trabalho ou cuidemos de nossas responsabilidades, e nos impede de fazer tudo o que precisamos fazer. É assim que está minha esposa – necessitada de cura física.

Eu trago minha esposa à presença do Senhor, pela oração, porque Jesus é o Médico dos médicos. Eu creio em Sua Palavra que diz: "Somos curados por Suas feridas". Eu me apego a essa promessa por minha esposa. Eu oro pelos médicos e enfermeiros, pedindo para eles a sabedoria e a iluminação para diagnosticarem o problema de minha esposa e para indicarem o melhor caminho terapêutico. Eu peço para que todos os medicamentos que ela venha a tomar lhe sejam benéficos e não causem efeitos colaterais. Ajude, Senhor, minha esposa a obter o descanso necessário e a fazer o que for preciso para apressar o processo de cura.

Toda cura vem do Senhor, e eu Lhe agradeço antecipadamente por restaurar a saúde de minha esposa.

Amém.

Saúde é um estado de completo
bem-estar físico, mental e social.

Organização Mundial da Saúde

Quando meu cônjuge precisa de um emprego...

A mente humana planeja o caminho,
mas o Senhor guia os passos.
PROVÉRBIOS 16:9 NRSV

Reconheça o Senhor em todos os seus caminhos,
e ele endireitará as suas veredas.
PROVÉRBIOS 3:6 NASB

Deus quer que todos comam e bebam e tenham alegria
no trabalho, pois tudo isso é presente de Deus.
ECLESIASTES 3:13 NCV

É então que o homem sai de sua casa
e vai trabalhar até o pôr-do-sol.
SALMO 104:23 ABV

[Jesus disse] "O pão nosso de cada dia nos daí hoje."
MATEUS 6:11

...eu faço uma oração.

Querido Senhor,

Desempregado... o maior receio dos trabalhadores se concretizou para nós. Por que isso foi acontecer? O que vamos fazer agora? Essa é uma condição assustadora para nós dois: meu marido e eu. Precisamos de dinheiro para o alimento, o aluguel, todas as nossas necessidades. Estou tentando não entrar em pânico, mas preciso de Sua ajuda para me fixar no Senhor e na Sua promessa de prover a todas as nossas necessidades.

Enquanto meu marido diligentemente avalia cada anúncio de emprego, envia currículos e responde aos cartazes de "precisa-se", eu peço que o Senhor guie seus passos. A rede de contatos é sempre importante, por isso eu peço que o Senhor leve as pessoas que cruzam o nosso caminho a entrar em contato com outras pessoas e oportunidades.

Será que o Senhor tem algo diferente em mente para nós, como buscar uma outra área de trabalho, voltar para a escola ou mudar para outra cidade? Estamos abertos a todas as opções, fazendo pesquisas na Internet e avaliando toda e qualquer idéia.

De uma coisa nós sabemos: que o Senhor tem bons planos para nós... Para onde quer que tenhamos de ir e para o que quer que tenhamos de fazer, queremos a Sua ajuda!

Obrigada!

Amém.

O trabalho não é uma maldição, é uma bênção de Deus, que nos chama a dominar a terra e a transformá-la.

João Paulo II

Quando meu cônjuge é infiel...

[Jesus disse] "Ele me mandou para curar os de coração quebrantado."
LUCAS 4:18 KJV

[Jesus disse] Quando forem orar, orem assim: "Pai nosso que estais no céu... Perdoai os nossos pecados, assim como nós perdoamos a quem nos tem ofendido".
MATEUS 6:9-12 NCV

[Jesus disse] "Quando estiverem orando, se tiverem algo contra alguém, perdoem; para que o seu Pai que está no céu também perdoe os seus pecados."
MARCOS 11:25 RSV

Perdoe tão rápida e completamente quanto o Senhor perdoa você.
COLOSSENSES 3:13 MSG

...eu faço uma oração.

Meu Pai,

Em nosso casamento, nós prometemos ser fiéis um ao outro. Mas algo terrível aconteceu... meu esposo foi infiel.

Eu fiquei chocada, furiosa, senti-me insultada, humilhada, devastada e inconsolável. O que eu faço agora? Esbravejo e peço o divórcio? Trato de continuar, como se nada tivesse acontecido? Se eu resolver não me separar, será que vou sempre desconfiar de cada telefonema, e-mail, hora extra no trabalho?

Se eu não contar nada aos meus amigos, eles descobrirão de toda forma? Estou certa de que, se soubessem, me aconselhariam sobre o que fazer.

Mas as Escrituras me dizem para buscar um aconselhador, não simplesmente amigos – pessoas qualificadas, como um pastor ou um conselheiro matrimonial. Se meu marido for comigo, talvez descubramos o que há de errado e possamos reconstruir uma nova vida juntos.

Mas e se ele se recusar? Talvez eu possa ir sozinha. Talvez o conselheiro possa indicar um grupo de apoio. Eu quero deixar aberta a porta para a reconciliação. Mas quero também conhecer quais são as minhas opções se isso não for possível.

Entrevejo uma penosa jornada à minha frente, Senhor. Obrigado por segurar minha mão.

Amém.

São precisos dois lados para obter uma paz duradoura,
mas basta que um dos lados dê o primeiro passo.

Edward M. Kennedy

Quando meu cônjuge enfrenta problemas no trabalho...

Uma resposta gentil aplaca a ira, mas palavras ásperas provocam discussões.
PROVÉRBIOS 15:1 TLB

[Jesus disse] "Felizes os que promovem a paz, pois serão chamados de filhos de Deus."
MATEUS 5:9 KJV

[Jesus disse] "O trabalhador merece seu salário."
LUCAS 10:7 RSV

Escravos, respeitosamente obedeçam a seus senhores aqui na terra, mas lembrem sempre de obedecer ao verdadeiro senhor, Cristo. Não apenas façam o que têm de fazer, mas trabalhem com o coração, como servos de Cristo fazendo o que Deus quer que façam. Trabalhem com um sorriso no rosto, sempre tendo em mente que, não importa quem esteja dando as ordens, você está na verdade servindo a Deus. Um bom trabalho será bem pago pelo Senhor, quer vocês sejam escravos ou livres.
EFÉSIOS 6:5-8 MSG

...eu faço uma oração.

Meu Senhor,

Nós fazemos horas extras, almoçamos na própria mesa de trabalho e vamos em frente apesar dos contratempos, porque queremos dar o melhor de nós mesmos no trabalho. Queremos ter orgulho de receber nosso salário com alegria e com ele alimentar nossas famílias.

O Senhor sabe que meu esposo sempre deu 110% no trabalho, orgulhando-se de fazer o melhor possível. Mas o trabalho envolve outras pessoas – clientes, colegas e chefes. Quando todos são gentis, alegres e prestativos, tudo bem! Mas quando surgem as piadas, os comentários racistas, os insultos, as panelinhas, os vícios, a corrupção e mesmo o assédio sexual, o local de trabalho se torna um campo de batalhas. E mesmo assim o trabalho tem de ser feito!

Pai, por favor, caminhe adiante de meu marido todos os dias, dando-lhe coragem e autocontrole para dar uma resposta serena ao sofrer uma injustiça. Ajude meu marido a explorar modos de desarmar as situações – conversar com o chefe, confiar em alternativas mais humanas, como levar um colega para almoçar e conversar seriamente com ele, usar o humor para transformar ameaças em risos. E também dê ao meu marido a sabedoria de discernir quando uma situação não tem solução e chegou a hora de buscar um novo emprego – um que seja de Sua escolha.

Amém.

Aquele que luta conosco fortalece os nossos nervos e afina nossas habilidades. Nosso antagonista é nosso colaborador, pois também nos ajuda.

Edmund Burke

Quando meus amigos ou familiares estão lutando contra o vício...

O jejum que desejo não é este: soltar as correntes da injustiça, desatar as cordas do jugo, pôr em liberdade os oprimidos e romper todo jugo?

ISAÍAS 58:6 NVI

[Jesus disse] "Vocês conhecerão a verdade, e a verdade os fará livres."

JOÃO 8:32 NASB

[Jesus disse] "O Espírito do Senhor está em mim... Ele me enviou para proclamar que os cativos serão libertados."

LUCAS 4:18 NLT

Os nossos velhos "eus" foram crucificados com Cristo para que o pecado não tivesse mais poder em nossa vida. Não somos mais escravos do pecado. Pois quando morremos com Cisto, fomos libertados do poder do pecado.

ROMANOS 6:6-7 NLT

...eu faço uma oração.

Meu Senhor,

Eu estou muito preocupada. O vício tomou conta de alguém a quem eu amo muito, transformando uma personalidade luminosa em instável, e um corpo sadio em um ser com nervos em frangalhos.

Muitos dos seus amigos e familiares – em especial os que moram Maias distantes – se negam a ver as mudanças que estão ocorrendo, mas eu vejo que as coisas estão caminhando de mal a pior. Que tragédia! O vício destrói lares, casamentos, finanças e carreiras. Destrói a saúde, fomenta o crime... até mesmo o homicídio.

Mas o que fazer? Eu sei que não posso controlar essa pessoa, tampouco quero me prestar a ser um facilitador. As tentativas de diálogo só têm produzido falsas promessas. Devo conversar com outras pessoas significativas na vida dessa pessoa? Talvez se pudermos coordenar nossos esforços, eu possa organizar uma intervenção para motivar nosso ente querido a buscar ajuda. Gostaria de pôr fim a essa dependência antes que seja tarde demais.

Eu sei que o Senhor ama essa pessoa muito mais do que eu a amo, e que Jesus destruiu o poder do vício ao ressuscitar dentre os mortos. Senhor, eu entrego essa pessoa aos Seus cuidados.

Amém.

A liberdade é um presente dos céus.

Denis Diderot

Quando meus amigos ou familiares estão com problemas financeiros...

Até leões jovens e fortes passam fome, às vezes; mas àqueles que confiam no Senhor nunca faltará nada de bom.

SALMO 34:10 NLT

[O Senhor disse] "Este será o meu lugar de descanso para sempre; aqui firmarei meu trono. Abençoarei este lugar com fartura, os seus pobres suprirei de pão.

SALMO 132:14-15 NVI

Eu era jovem, agora estou velho, mas nunca vi pessoas boas deixadas ao desamparo, nem seus filhos implorando por comida.

SALMO 37:25 NCV

Deus pode dar-lhe mais bênçãos do que você precisa. Então você sempre terá fartura.

2 CORÍNTIOS 9:8 NCV

...eu faço uma oração.

Ó Pai,

Alguém que eu amo perdeu toda a alegria de viver. Por quê? Por adversidades financeiras. Um problema financeiro oprime a vida de sua vítima, tenha sido ele causado por um evento catastrófico, pela perda de emprego, por afundar-se em dívidas ou simplesmente por não ganhar o suficiente. E foi isso o que aconteceu com essa pessoa querida. Meu coração está oprimido com essa triste situação.

Será que isso vai ocasionar a perda do carro, da casa, de um bom crédito ou mesmo comprometer o casamento? O Senhor prometeu suprir todas as nossas necessidades com as Suas riquezas em glória, e eu venho interceder por essa pessoa querida.

Ajude-me a ser um consolo nesse tempo de tribulação, sem me imiscuir nem condenar. Mostre-me trechos das Escrituras que eu posso partilhar com ela para lhe trazer esperança e encorajamento. Se esse sofrimento é auto-infligido, comunique Sua sabedoria e luz, para que ela possa aprender com elas e empreender as mudanças necessárias para que isso não volte a acontecer. Traga à luz informações que ajudem essa pessoa a encontrar um novo caminho financeiro.

Senhor, a ajuda que eu posso oferecer é limitada, mas não a Sua! Obrigado por ser essa fonte inesgotável de bênçãos.

Amém.

As dificuldades, as adversidades e as tribulações da vida,
os obstáculos que encontramos no caminho da felicidade,
são bênçãos positivas. Eles tornam os músculos
mais fortes e ensinam a autoconfiança.

William Mathews

Quando meus amigos ou familiares estão passando por uma grande tristeza...

Foi desprezado e rejeitado pelos homens,
um homem de dores e experimentado no sofrimento;...
Certamente ele tomou sobre si as nossas dores
e sobre si levou as nossas aflições.
ISAÍAS 53:3-4 NASB/NVI

Que Deus maravilhoso nós temos! ...Que nos conforta
e fortalece nas dificuldades e provações...
para que, quando os outros estiverem aflitos,
...possamos transmitir-lhes essa mesma ajuda
e esse mesmo consolo que Deus nos deu.
2 CORÍNTIOS 1:3-4 NKJV

O Senhor consolou o seu povo e terá compaixão dele na
sua hora de tristeza.
ISAÍAS 49:13 TLB

A todos os que estão de luto em Israel [o Senhor dará]
uma bela coroa em vez de cinzas sobre
a cabeça, perfume de alegria em vez de lágrimas
de tristeza no rosto, roupas de festa e louvor
em vez de um espírito triste e abatido.
ISAÍAS 61:3 ABV

...eu faço uma oração.

Querido Senhor,

Como pode um coração estar partido... e continuar batendo? Esse é o triste estado de alguém a quem eu amo, que está sofrendo com uma perda tão dolorosa quanto a mais profunda ferida.

"Posso fazer alguma coisa para ajudar?", tenho vontade de perguntar. Mas as palavras em que eu consigo pensar parecem tão inadequadas, quase uma zombaria diante de tal tristeza. Eu mando cartões e flores. Eu telefono. O que mais eu posso fazer?

Quando eu mesmo estou triste, os cartões e as flores que recebo são um grande consolo! Como é bom ter um amigo ou alguém amado para me ouvir quando preciso desabafar. Como eu preciso de um abraço sincero e de alguém que me faça companhia, evitando que eu me deixe levar pelo desespero. Como eu valorizo o Seu amor, Senhor, Sua presença constante, Sua infinita consolação nesses momentos tristes.

Por isso, Senhor, ajude-me a ser um amigo fiel e a confortar aquele que está sofrendo neste momento. Ajude meus olhos, ouvidos e braços a estar disponíveis durante essa jornada triste – e também quando a cura tiver início.

Ajude-me a encaminhar esse meu amigo triste para os Seus braços sempre acolhedores.

Amém.

Dê vazão à tristeza: a mágoa que não fala, sussurra
ao coração sobrecarregado e ordena-lhe partir-se.

William Shakespeare

Quando meus amigos ou familiares precisam de cura física...

Ele sofreu nossos pecados em seu próprio corpo, para que morrêssemos para o pecado e vivêssemos para a justiça. Por meio dos ferimentos dele é que vocês foram curados.
1 PEDRO 2:24 RSV

[O Senhor dos Exércitos diz] "Mas para vocês que reverenciam o meu nome, o sol da justiça se levantará trazendo cura em suas asas."
MALAQUIAS 4:2 NVI

E vocês naturalmente sabem que Jesus de Nazaré foi ungido por Deus com o Espírito Santo e com poder; viveu fazendo o bem e curando todos os que estavam possessos de demônios, porque Deus estava com ele.
ATOS 10:38 ABV

Ó Senhor, meu Deus, clamei por sua ajuda, e o Senhor me curou.
SALMO 30:2 NASB

...eu faço uma oração.

Senhor amado,

Uma pessoa que eu amo muito está em estado crítico e pediu minhas orações. Eu estou grato pelos avanços tecnológicos da medicina, mas, apesar disso, às vezes eles não são suficientes. Há uma série de doenças que ainda podem interferir profundamente na vida das pessoas e deixá-las afundadas em dívidas, causar a perda de emprego e mesmo ceifar vidas.

Por isso, Senhor, qual a melhor forma de apoiar o meu ente querido neste momento? Sim, eu vou telefonar e fazer uma visita. Sempre que possível, vou levar guloseimas e piadas, notícias e livros, e longos e calorosos abraços.

Mas isso tudo não basta. Eu preciso do Senhor ao meu lado o tempo todo, inspirando-me palavras encorajadoras para partilhar com ele. A pessoa doente também precisa do Senhor a cada momento, por isso podemos orar juntos e conversar sobre o Senhor e a Sua cura, Seu amor, alegria e paz; sobre o Seu Filho, Jesus, e sobre o céu. Mesmo que esse paciente nunca tenha parado para pensar muito no Senhor antes.

Pai, eu quero tanto que esse meu ente querido se recupere, que seja curado... mas se isso não for da Sua vontade, ajude-me a valorizar ao máximo esse nosso tempo juntos. Abrace-nos fortemente. Obrigado.

Amém.

O melhor remédio é uma boa dose de alegria.

Píndaro

Quando meu chefe precisa da proteção de Deus...

[O servo de Abraão disse] Ó Senhor, Deus de meu senhor Abraão, por favor garanta-me sucesso hoje, e mostre sua bondade para com meu senhor.

GÊNESIS 24:12 NASB

Abençoe os justos, ó Senhor; cubra-os com a sua graça como se os cobrisse com um escudo.

SALMO 5:12 NRSV

Mostra-me uma prova de que realmente vais me ajudar, alguma coisa que deixe envergonhados os meus inimigos quando eles virem que Tu, Senhor, me ajudas e me consolas.

SALMO 86:17 ABV

Nós nos orgulhamos porque Tu és a nossa força!

SALMO 89:17 ABV

Quem me encontra [Sabedoria] encontra vida, e obtém o favor do Senhor.

PROVÉRBIOS 8:35 NKJV

...eu faço uma oração.

Querido Senhor,

Como eu O louvo e agradeço pelo chefe que tenho. Já tivemos nossos desentendimentos, mas, de modo geral, ele é uma ótima pessoa com quem trabalhar.

Surgiu, porém, um problema. Não entre nós, mas algo totalmente diferente, fora de nosso controle – pelo menos do meu. Quantas dificuldades não surgem para os gerentes de empresa, sejam grandes ou pequenas: financiamentos, burocracia, incompatibilidades entre as pessoas, ambição desmedida, sede de poder, rivalidades, pressões políticas, ações judiciais, mudanças de mercado, incorporação empresarial, desapropriações, greves de trabalhadores e tudo o mais – sem mencionar os problemas pessoais que dizem respeito à família e à saúde.

Eu me entristeço ao ver meu chefe tão preocupado e abatido por esse grande fardo. Peço ao Senhor que lhe dê a sabedoria necessária para lidar com todas essas questões e lhe conceda a boa vontade de todos os envolvidos. Querido Pai, somente o Senhor, onisciente, sabe resolver esse problema. Eu peço que conceda ao meu chefe a paz sobrenatural e a certeza de que o Senhor guia essa situação para um final feliz. Faça com que tudo concorra para o bem dele e a Sua glória.

Obrigado.

Amém.

Deus Todo-Poderoso... humildemente suplicamos que possamos sempre mostrar-nos obedientes à Sua palavra e dóceis à Sua vontade.

George L. Locke

Quando eu vejo injustiças no mundo ao meu redor...

*Ele já disse o que deseja e isso se resume em:
ser honesto e justo, saber amar e perdoar
e ser humilde diante do seu Deus.*
MIQUÉIAS 6:8 ABV

*Pois a palavra do Senhor é verdadeira; ele é fiel
em tudo o que faz. Ele ama a justiça e a retidão;
a terra está cheia da bondade do Senhor.*
SALMO 33:4-5 NVI

*Erga a voz por todos aqueles que não podem
falar por si mesmos, erga a voz pelos direitos dos
destituídos. Erga a voz e julgue com justiça;
defenda os direitos dos pobres e necessitados.*
PROVÉRBIOS 31:8-9 NIV*

*Abençoado [feliz, afortunado] aquele
que ajuda o fraco e o pobre; o Senhor o
salvará na hora do mal e do perigo.*
SALMO 41:1 AMP

...eu faço uma oração.

Meu Senhor amado,

À minha volta, há os gramados bem tratados e os portões trancados dos ricos – e um acampamento de sem-tetos. Butiques elegantes transbordam de compradores, enquanto pessoas famintas reviram as caçambas de lixo em busca de restos de comida. Corporações faturam milhões buscando mão-de-obra mais barata do outro lado do mundo e demitindo milhares de seus trabalhadores. A vida às vezes parece muito injusta.

Deus, eu sei que o Senhor é ainda mais preocupado com a justiça do que eu. Por toda a Bíblia vemos que o Senhor toma partido da bondade, do apoio e da solicitude – quer seja excedendo-se em compaixão pelo doente, o inválido e o cego, quer cuidando dos escravos, órfãos, viúvas e pobres maltratados e explorados. O Senhor enviou Seu Filho para morrer pelo trabalhador e pelo diretor, pelo sem-teto e pelo milionário, pelo gourmet e pelo faminto.

Ajude-me a combater as injustiças que eu encontro. Quero contribuir com o trabalho de organizações que ajudam os necessitados de modo prático, que propagam o Seu amor e o Seu encorajamento. Finalmente, Pai, dê-me coragem para defender aqueles que são tratados injustamente. Eu buscarei ajudá-los também.

Eu quero ser um instrumento do Seu amor.

Amém.

Justiça é consciência – não a consciência pessoal, particular, mas a consciência de toda a humanidade.

Alexandre Soljenítsin

Quando meu país precisa de orientação e liderança...

Abençoada a nação cujo Deus é o Senhor.
SALMO 33:12 KJV

É por minha causa que os reis governam
e os juízes julgam com justiça.
PROVÉRBIOS 8:15 NCV

Um povo que vive no pecado enfraquece o governo; mas
um rei justo e honesto coloca o país no caminho certo.
PROVÉRBIOS 28:2 ABV

Um rei que ama seu povo é fiel ao Senhor e procura
sempre fazer o bem, terá um reinado seguro e feliz.
PROVÉRBIOS 20:28 ABV

[O Senhor disse] "Se o meu povo se humilhar e orar,
e me procurar, e se arrepender e mudar sua maneira
errada de viver, Eu ouvirei do céu as orações do povo,
perdoarei os seus pecados, e curarei a terra deles."
2 CRÔNICAS 7:14 RSV

...eu faço uma oração.

Deus de todas as nações,

"Ah ouve essas fontes murmurantes, aonde eu mato a minha sede e onde a lua vem brincar." Eu amo a terra onde o Senhor me colocou. E agradeço porque as pessoas da minha raça e da minha origem têm liberdade de pensamento, liberdade para ler, trabalhar e louvar a Deus. Porque aqui podemos eleger nossos representantes para trabalharmos juntos pelo bem comum.

Mas o fato de serem eleitos parece transformar muitos líderes comunitários natos em políticos que buscam os próprios interesses. Seja no nível local, estadual ou nacional, pessoas bem-intencionadas parecem sucumbir à máquina política, às agendas pessoais e às corporações milionárias dispostas a comercializar as leis – às vezes, até mesmo fingindo colocar Seu selo de aprovação nessa farsa.

Ó Pai, ajude-me a distinguir os falsos políticos e saber em quem votar – e como encorajar meus amigos a também votarem neles. A não apenas criticar o status quo ou dar a situação como sem esperança, mas estar disposto a deixar minha voz ser ouvida em nome do direito, da verdade e da justiça.

Obrigado por este maravilhoso país. Mesmo com suas imperfeições, é abençoado pelo Senhor.

Amém.

Maus políticos são eleitos por bons cidadãos
que se recusam a votar.

George Jean Nathan

Quando eu encontro um necessitado...

Se um irmão ou irmã estiver necessitando de roupas e do alimento de cada dia e um de vocês lhe disser: "Vá em paz, aqueça-se e alimente-se até satisfazer-se", sem porém lhe dar nada, de que adianta isso? Assim também a fé, por si só, se não for acompanhada de obras, está morta.

TIAGO 2:15-17 NVI

Abençoados os que ajudam os pobres.

PROVÉRBIOS 14:21 NLT

Quem ajuda os pobres empresta a Deus –
e ele pagará de volta!

PROVÉRBIOS 19:17 NLT

Quem dá aos pobres nunca terá falta de nada.

PROVÉRBIOS 28:27 NRSV

Sempre existirão pessoas pobres na terra.
Por isso eu ordeno, seja generoso com os seus irmãos e com os pobres e necessitados que vivem na sua terra.

DEUTERONÔMIO 15:11

...eu faço uma oração.

Pai compassivo,

A parte externa da minha geladeira está coberta por ímãs e listas de compras e tarefas. A parte interna está praticamente abarrotada de alimentos. Ponto final. E mesmo assim eu faço compras de supermercado todas as semanas.

E, enquanto isso, despensas e geladeiras em outras casas estão vazias. Pois mesmo com o pai e a mãe trabalhando fora, muitas famílias passam forme pelo menos alguns dias por mês, até o próximo pagamento. Ou todos os dias, para os que não têm trabalho.

As crianças precisam de uniformes, material escolar, sapatos e agasalhos. Seus pais também precisam de roupas e dinheiro para as contas – de água, luz, gás e gasolina. Ou dinheiro para tomar ônibus.

E eles também precisam conhecer o Seu amor e a Sua verdade.

Tudo o que posso oferecer ao Senhor é meu coração, minhas mãos e minha carteira. Mas, por favor, tome isso tudo e ajude aqueles que mais precisam. Seja um banco de alimentos, centro de resgate ou outra organização de assistência social, coloque minhas mãos e meu coração para aquecer outros corações, encher estômagos e curar uma alma – ser um farol que os dirija ao Senhor, para que possam amá-Lo como eu O amo.

Obrigado!

Amém.

Com que se parece o amor? Tem mãos para ajudar os outros. Tem pés que se apressam em buscar o pobre e o necessitado. Tem olhos para ver o sofrimento e a privação. Tem ouvidos para ouvir os suspiros e os lamentos dos homens. É assim o amor.

Santo Agostinho de Hipona

A Força da Oração foi impresso em
São Paulo/SP pela Quebecor World São Paulo Ltda.,
para a Larousse do Brasil, em abril de 2007.